LE PANTIN MALÉFIQUE

Biographie

R. L. Stine est né en 1943 à Colombus aux
États-Unis. À ses débuts, il écrit des livres in-
teractifs et des livres d'humour. Puis il devient l'auteur préféré des adolescents avec
ses livres à suspense. Il reçoit plus de 400 lettres
par semaine ! Il faut dire que, pour les dis-
traire, il n'hésite pas à écrire des histoires
plus fantastiques les unes que les autres.
R. L. Stine habite New York avec son épouse
Jane et leur fils Matt.

Avis aux lecteurs

Vous êtes nombreux à écrire à l'auteur de la série Chair
de poule et nous vous en remercions. Pour être sûrs que
votre courrier arrive, adressez votre correspondance à :

Bayard Éditions Jeunesse
Série Chair de poule
3, rue Bayard
75008 Paris.

Nous la transmettrons à R. L. Stine.

Chair de poule®

LE PANTIN MALÉFIQUE

R.L. STINE

TRADUIT DE L'AMÉRICAIN
PAR JEAN-BAPTISTE MÉDINA

NEUVIÈME ÉDITION
BAYARD JEUNESSE

Titre original
GOOSEBUMPS n° 31
Night the Living Dummy II

© 1995 Parachute Press Inc.,
Tous droits réservés
Chair de poule est une marque déposée de Parachute Press Inc.
© 2001, Bayard Éditions Jeunesse
© 1996, Bayard Éditions
pour la traduction française avec l'autorisation
de Scholastic Inc, New York
Loi n° 49 956 du 16 juillet 1949
sur les publications destinées à la jeunesse
Dépôt légal février 2001

ISBN : 2.7470.0242.X

Avertissement !

Que tu aimes déjà les livres ou que tu les découvres,
si tu as envie d'avoir peur, **Chair de poule** est pour toi.

Attention, lecteur !
Tu vas pénétrer dans un monde étrange
où le mystère et l'angoisse te donnent rendez-vous
pour te faire frissonner de peur... et de plaisir !

Je m'appelle Chloé Kramer et j'ai douze ans. Tous les jeudis soir, à la maison, nous devons participer au rite du «partage familial», et ça me rend folle.

Sara et John eux aussi trouvent ça assommant. Mais nos parents ne tiennent pas compte de nos récriminations.

– C'est le moment le plus important de la semaine, affirme Papa.

– Une tradition charmante ! renchérit Maman. Quelque chose dont vous vous souviendrez toujours.

Oh oui, Maman. Quelque chose de pénible et d'embarrassant que je n'oublierai pas de sitôt.

Au cas où vous ne l'auriez pas deviné, le partage familial exige que chaque membre de la famille Kramer – à l'exception de Georges, notre chat – partage avec les autres une émotion, un sentiment, une expérience récente.

Ce n'est pas bien difficile pour ma sœur, Sara, qui a quatorze ans, car c'est un peintre de génie. Je ne plai-

sante pas. Une de ses peintures a même été sélection-
née pour une exposition du musée d'Art de la ville.
Sara entrera peut-être dans une école de peinture
l'année prochaine.

Donc, Sara « partage » toujours des croquis sur les-
quels elle est en train de travailler. Ou un nouveau
tableau.

Le partage familial ne donne pas trop de mal à John,
lui non plus. Mon frère a dix ans. Il est complètement
débile. Il se moque pas mal de ce qu'il partage. Un
jeudi soir, il a émis un rot retentissant en expliquant
qu'il partageait la satisfaction d'avoir bien mangé.
Puis il s'est mis à rire comme un fou.

Maman et Papa n'ont pas trouvé ça drôle. Ils ont
passé un savon à John parce qu'il ne prenait pas le
partage familial au sérieux.

John s'imagine qu'on peut tout lui pardonner parce
qu'il est mignon. Il se croit vraiment original, car il
est le seul rouquin sous notre toit. Sara et moi, nous
avons des cheveux noirs et lisses, des yeux vert foncé
et une peau très mate. Avec son teint pâle, ses taches
de rousseur et ses boucles rousses, John semble venir
d'une autre famille !

Et parfois, Sara et moi, on souhaiterait qu'il y
retourne.

En tout cas, je reste celle à qui le partage familial
pose le plus de problèmes. Parce que je ne suis pas
aussi douée que Sara. Et pas aussi bizarre que John.
Alors, je ne sais jamais quoi partager.

Je me contente en général d'inventer une histoire

– un récit d'aventures dont l'héroïne échappe à divers dangers. Ou un conte à dormir debout dans lequel des princesses se transforment en tigresses.

Après ma dernière histoire, Papa a eu un grand sourire ravi.

– Quelle imagination ! s'est-il exclamé. Chloé sera un jour un écrivain célèbre.

Il a promené son regard autour de lui sans cesser de sourire, avant d'ajouter :

– Que de talents, dans cette famille !

Il ne disait ces mots que pour être un bon père, bien sûr. Pour m'encourager. Le seul vrai talent de la famille, c'est Sara. Tout le monde le sait.

Hier soir, John est passé le premier. Maman et Papa étaient installés comme de coutume sur le canapé du salon, avec Georges à leurs pieds.

J'avais pris place dans mon gros fauteuil marron, en face d'eux. Sara était assise sur le tapis à côté de moi, jambes croisées.

– Qu'est-ce que tu vas partager ce soir, John ? demanda Maman. Pas un de tes horribles rots, j'espère.

– C'était dégoûtant ! dit Sara.

– Pas si dégoûtant que ta tronche ! répliqua John.

Il lui tira la langue.

– John, s'il te plaît, marmonna Papa en remettant ses lunettes sur son nez. Pas de disputes. Tâchons de rester civilisés.

– C'est elle qui a commencé ! protesta John.

Je poussai un soupir.

– John, partage quelque chose, et qu'on en finisse.

– Alors, John, tu te décides ? demanda Papa d'une voix éteinte.

John se leva et alla se placer au centre de la pièce, les mains dans les poches.

– J'ai, heu... j'ai appris à siffler avec les doigts, nous annonça-t-il.

– Bel exploit, ironisa Sara.

John l'ignora. Il retira ses mains de ses poches, inséra ses deux petits doigts dans sa bouche – et émit un long sifflement à vous percer le tympan.

Il siffla ainsi à trois reprises. Puis il fit une profonde révérence.

Tout le monde applaudit.

John salua encore, courbé jusqu'à terre.

– Que de talents, dans cette famille ! s'émerveilla Papa.

Cette fois, il plaisantait.

John se laissa tomber à côté du pauvre Georges, qui s'éveilla dans un sursaut.

– À toi, Chloé, dit Maman en se tournant vers moi. Est-ce que tu vas nous raconter une autre histoire ?

– Ses histoires sont trop longues ! se plaignit John.

– Non, répondis-je, pas d'histoire ce soir.

Et je saisis Totoche derrière mon fauteuil.

John poussa un gémissement. Sans lui prêter attention, je m'assis à califourchon sur le bras du fauteuil, mon pantin sur les genoux.

– Je préfère bavarder avec Totoche, annonçai-je à Papa et à Maman.

Ils affichèrent un sourire poli, mais, là encore, cela m'était égal. J'avais répété avec Totoche toute la semaine, et je voulais tester sur eux mon nouveau numéro.

– Chloé ne vaut pas un clou comme ventriloque, ricana John. On voit ses lèvres bouger.

– Oh, ça va, John. Je trouve Totoche plutôt marrant, dit Sara.

Elle se pencha en avant et prit un air intéressé.

Je calai le pantin sur mon genou gauche et, glissant mes doigts dans le creux de son dos, je les refermai sur la ficelle qui sert à articuler sa bouche. Totoche est un très vieux pantin de ventriloque. La peinture de son visage s'écaille. Un de ses yeux est presque tout blanc. Son sweat à col roulé est déchiré et tout taché.

Mais je m'amuse beaucoup avec lui. Quand mes petits cousins, qui ont cinq ans, nous rendent visite, j'aime leur faire mon numéro. Ils se trémoussent en poussant des cris de joie. Ils me trouvent géniale.

Je crois du reste que j'ai pas mal progressé ces derniers temps, quoi qu'en dise John.

Je regardai donc mes parents et commençai :

– Comment ça va ce soir, Totoche ?

– Pas très bien, fis-je répondre à mon partenaire.

Je lui avais donné une petite voix enrouée.

– Allons bon ! Tu as attrapé un rhume ?

– Non. Des termites !

Maman et Papa se mirent à rire. Sara sourit. John émit un grognement excédé.

Je me tournai vers mon pantin et repris :

– As-tu consulté un docteur ?

– Non. Un menuisier !

Là, Maman et Papa sourirent, sans plus. Sara eut une grimace de dégoût.

– Personne n'a aimé cette blague, Totoche, dis-je.

– Quelle blague ? rétorqua la marionnette.

J'entendis John chuchoter à Sara : « C'est nul », et celle-ci marmonner son assentiment. Je poursuivis néanmoins :

– Changeons de sujet, Totoche. As-tu une petite amie ?

Je le penchai en avant, essayant de lui faire dire « oui » d'un hochement de tête. Mais celle-ci se détacha de ses épaules et tomba par terre.

La tête de bois heurta le plancher avec un bruit sourd et roula vers le chat, qui sauta en l'air et quitta les lieux.

Sara et John s'écroulèrent de rire. Ils se tapaient sur les cuisses.

– Papa ! m'écriai-je, vexée. Tu as promis de m'acheter un nouveau pantin !

John courut ramasser la tête de Totoche et, se cachant derrière, cria d'une voix de fausset :

– Chloé est nulle ! Chloé est nulle !

Furieuse, je me jetai sur lui et lui arrachai la tête des mains.

– Rends-moi ça !

– Chloé est nulle ! Chloé est nulle ! continua de chantonner John.

– Ça suffit, John! tonna Maman du fond de son canapé.

– Si tu crois que c'est facile de dénicher un pantin, dit Papa en retirant ses lunettes pour les examiner. J'ai fait le tour des magasins, sans succès.

– Alors, comment est-ce que je pourrais m'améliorer? La tête de Totoche tombe chaque fois que je m'en sers!

– Alors essaie de le rafistoler, en attendant, suggéra Maman.

– Facile à dire!

– Qui a parlé de «partage familial»? demanda Sara. On devrait plutôt appeler ça «Les Bagarres du Jeudi».

John sautilla aussitôt comme un boxeur, les poings en avant.

– Ouais! Tu viens te battre avec moi?

Maman lui jeta un regard noir, puis se tourna vers ma sœur.

– C'est ton tour, Sara. Qu'est-ce que tu partages avec nous, ce soir?

– J'ai terminé une nouvelle peinture. Une aquarelle.

– Qui représente quoi? interrogea Papa.

– Vous vous souvenez du cabanon que nous avions loué dans le Maine, il y a quelques étés? répondit Sara. Celui qui surplombait une grande falaise noire? J'en ai retrouvé une photo, et j'ai essayé de le peindre...

J'eus comme une envie de l'étrangler. Oui, je l'avoue, je suis jalouse de Sara.

Elle s'apprêtait à partager une autre belle peinture. Et moi, j'avais l'air d'une idiote, avec ma marionnette décapitée sur les genoux. C'était trop injuste !
– Il faut venir la voir dans ma chambre, disait Sara. Elle n'est pas encore sèche.
Tout le monde se leva docilement et prit la direction de sa chambre.
J'étais en tête du cortège. Derrière moi, Sara expliquait en détail les difficultés rencontrées en exécutant son aquarelle, et la façon dont elle les avait résolues.
– Je me souviens très bien de ce cabanon, déclara Papa.
– Il me tarde d'admirer ta peinture, ajouta Maman.
J'entrai dans la chambre de Sara et allumai la lumière.
Puis je me tournai vers le chevalet sur lequel reposait le tableau – et un cri m'échappa.

Je regardais le tableau, muette de stupeur.

En le découvrant à son tour, Sara faillit tomber.

– Je... Je n'y crois pas ! brailla-t-elle. Qui a fait ça ?

Quelqu'un avait peint une tête de clown au sourire épanoui, en jaune et noir, dans un coin du tableau.

Au beau milieu de la falaise rocheuse.

Maman et Papa s'approchèrent du chevalet, déconcertés et mal à l'aise. Ils examinèrent la face ronde et son sourire béat, puis se tournèrent vers John.

Ce dernier éclata de rire.

– Ça vous plaît ? demanda-t-il.

– John ! Comment as-tu osé ! explosa Sara. Je vais te tuer !

– Le paysage était trop sombre, expliqua John en haussant les épaules. J'ai voulu l'éclairer un peu.

– Mais... mais... mais..., bégaya ma sœur.

Elle serra les poings et les agita rageusement sous le nez de John.

– John, qui t'a permis d'entrer dans la chambre de Sara ? demanda Maman.

Sara n'autorise personne à pénétrer dans sa précieuse chambre sans une invitation écrite !

– Jeune homme, tu n'as pas le droit de toucher aux peintures de ta sœur ! gronda Papa.

– Je sais peindre, rétorqua John. Je suis un artiste, moi aussi !

– Alors, fais tes propres peintures ! aboya Sara. Et n'entre plus ici comme un voleur pour bousiller les miennes !

– Je ne suis pas entré comme un voleur ! Je voulais seulement t'aider.

– Tu parles ! s'exclama Sara. Tu as gâché tout mon travail !

– Ton travail pue ! lui lança John.

– Ça suffit ! cria Maman.

Elle saisit John par les épaules et le secoua.

– John, regarde-moi ! Tu n'as pas l'air de comprendre à quel point tout ça est sérieux. Tu viens de commettre une énorme bêtise.

Le sourire de John s'évanouit.

En petit dernier de la famille, il s'imagine qu'il a tous les droits. Mais cette fois, il était allé trop loin. Après tout, Sara est notre star. Saboter ses efforts artistiques ne pouvait qu'attirer à John des ennuis sérieux.

Sara est tellement fière de ses peintures. Moi aussi, j'ai déjà eu envie de barbouiller quelque chose d'amusant sur l'une d'entre elles. Mais bien sûr, je me suis contentée d'y penser. Je ne ferais jamais quelque chose d'aussi mesquin.

– Tu ne dois pas être jaloux du travail de ta sœur, dit Papa à John. Nous avons tous notre talent particulier.

– Ouais, ouais, c'est ça, ricana John. Et quel est le tien, Papa?

C'est une curieuse habitude chez lui. Chaque fois qu'il a quelque chose à se reprocher, au lieu de dire qu'il regrette, il devient insolent.

Papa serra les dents. Il regarda John d'un air sévère.

– Nous ne parlons pas de moi, répondit-il sèchement.

– Allez-vous punir John, oui ou non? demanda Sara d'une voix stridente.

Elle avait ouvert sa boîte d'aquarelles et tentait déjà de faire disparaître la bille de clown souriante sous une couche de peinture noire, à grands coups de pinceau furieux.

– Oui, John sera puni, répondit Maman en fusillant ce dernier du regard. D'abord, il doit te présenter ses excuses.

Mon frère baissa les yeux sur ses chaussures. Nous attendions.

Il lui fallut un certain temps pour se décider. Finalement, il parvint à articuler:

– Je regrette, Sara.

Il tenta de quitter la pièce, mais Maman le retint en l'empoignant de nouveau par les épaules.

– Pas si vite! Ta punition, c'est que tu n'iras pas au cinéma avec tes copains samedi. Et... pas de jeux vidéo pendant une semaine.

17

– Ah, non, Maman ! Pas ça ! supplia John.

– Tu as très mal agi, dit Maman sévèrement. Peut-être que cette punition te le fera comprendre.

– Mais il faut que j'aille au cinéma ! protesta John. Je l'ai promis !

– Il n'en est pas question ! rétorqua Maman. Et pas la peine de discuter, ou je t'ajoute une punition supplémentaire. Maintenant, file dans ta chambre.

– Je trouve qu'il n'est pas assez puni, commenta Sara qui réparait toujours les dégâts infligés à sa peinture.

– Ne te mêle pas de ça, Sara, répliqua Maman.

– Ouais, occupe-toi de tes oignons ! marmonna John. Il sortit et disparut dans le couloir sans cesser de grommeler entre ses dents.

Papa soupira. Il se passa la main dans les cheveux.

– Le partage familial est terminé, conclut-il tristement.

Je restai un moment dans la chambre de Sara et la regardai travailler. Elle n'arrêtait pas de marmonner et de secouer la tête :

– Il faut que je peigne les rochers en beaucoup plus foncé pour effacer ce sourire stupide, s'exclama-t-elle amèrement. Mais si les rochers sont plus sombres, je dois changer la couleur du ciel. Tout mon équilibre est fichu.

– Je trouve que c'est très beau, dis-je pour lui remonter le moral.

– Comment John a-t-il pu me faire ça ? poursuivit-elle en plongeant son pinceau dans un grand verre d'eau. Comment a-t-il osé se glisser dans ma chambre et saccager mon œuvre d'art ?

Jusqu'ici j'étais vraiment ennuyée pour Sara, mais cette remarque annula toute ma sympathie. Ne pouvait-elle considérer son aquarelle comme une simple peinture ? Pourquoi l'appelait-elle « son œuvre d'art » ?

Parfois, elle est si orgueilleuse et si contente d'elle-même que ça me rend malade.

Je tournai les talons et sortis de la pièce. Elle ne s'en aperçut même pas.

Une fois dans ma chambre, je téléphonai à mon amie Margot et nous bavardâmes un instant de choses et d'autres.

Tout en parlant, j'entendais John s'activer dans sa chambre, juste à côté de la mienne. Il allait et venait à grand bruit, projetait des objets autour de lui.

Le père de Margot l'obligea à lâcher le téléphone. Il est très strict là-dessus et ne la laisse jamais téléphoner plus de dix ou quinze minutes.

Après mon coup de fil, j'allai dire bonsoir aux parents et je me couchai.

C'était une belle nuit de printemps. Je laissai la fenêtre entrouverte. La lueur pâle d'un gros croissant de lune illuminait le sol de ma chambre.

Je m'endormis d'un sommeil profond dès que ma tête toucha l'oreiller.

Un peu plus tard, quelque chose me réveilla. J'avais du mal à y voir. Les rideaux s'agitaient devant la fenêtre.

Je crus un instant que je dormais encore, et que j'étais en train de rêver. Mais ce que j'aperçus contre la vitre me fit basculer de plain-pied dans la réalité.

Les rideaux s'écartèrent légèrement. Et dans la lumière argentée, je distinguai un visage.

Un visage ricanant qui semblait m'épier.

Les rideaux s'écartèrent de nouveau.

Le visage ne bougea pas.

– Q-qui... qui est là ? bégayai-je en ramenant le drap sous mon menton.

Les yeux me regardaient. Froidement. Sans ciller.

Des yeux de pantin... Totoche ! Il me fixait de son regard sans vie, ses yeux blancs réfléchissant l'éclat de la lune.

Avec un cri de colère, je rejetai mon drap et bondis hors du lit pour aller cueillir la tête du pantin, posée sur le rebord de la fenêtre.

– Qu'est-ce que c'est que cette mise en scène ? Qui a fait ça, Totoche ? lui demandai-je.

J'entendis rire doucement dans le couloir. J'ouvris la porte de ma chambre.

John était tapi dans l'ombre, se retenant de rire.

– Je t'ai eue ! gloussa-t-il.

– John ! Espèce de tordu !

Je lâchai la tête du pantin, qui tomba par terre.

Agrippant des deux mains le pantalon de pyjama de John, je le remontai aussi haut que je le pus – presque sous son menton !

Il laissa échapper une protestation et tituba contre le mur.

– À quoi joues-tu ? chuchotai-je. Pourquoi as-tu posé la tête de Totoche sur le rebord de ma fenêtre ?

John rajusta dignement son pyjama.

– Pour te rendre la monnaie de ta pièce, marmonna-t-il.

– Hein ? À moi ? Mais qu'est-ce que je t'ai fait ?

– Tu ne m'as pas soutenu, tout à l'heure, me reprocha-t-il en fourrageant dans ses cheveux roux. Tu sais bien. À propos de la peinture de Sara.

– Elle est bien bonne ! m'exclamai-je. Comment pouvais-je te soutenir ? Qu'est-ce que j'aurais pu dire ?

– Tu aurais pu dire que ça n'était pas grave, rétorqua John.

– Mais c'était très grave, au contraire ! Tu ne comprends donc pas que Sara attache beaucoup d'importance à ses peintures ?

Je secouai la tête et ajoutai :

– Désolée, John. Mais tu méritais d'être puni. C'est la pure vérité.

Il me dévisagea d'un air innocent, comme s'il réfléchissait à mes paroles. Puis un sourire malicieux éclaira son visage.

– J'espère que je ne t'ai pas trop flanqué la frousse, Chloé !

Il ramassa la tête de Totoche et me la lança. Je la rattrapai au vol.

– Va dormir, John, dis-je. Et ne t'avise plus de toucher à mes affaires.

Je retournai dans ma chambre et fermai la porte. Jetant la tête du pantin sur un fauteuil encombré de vêtements, je me recouchai, épuisée.

« C'est beaucoup d'émotions pour une seule soirée », pensai-je en fermant les yeux.

Trop d'émotions...

Margot me rendit visite le lendemain après-midi.
– Je t'ai apporté la nouvelle compilation des Beatles,
dit-elle en arrivant.
Elle tenait un coffret CD à la main.
Margot adore les Beatles. Elle n'écoute aucun
groupe actuel. Dans sa chambre, il y a toute une éta-
gère de CD et cassettes des Beatles. Et des posters
sur les murs.
Je l'entraînai dans la mienne et je fis passer le CD.
Margot s'installa sur mon lit. Je m'étalai sur le tapis,
en face d'elle.
– Mon père a failli m'interdire de venir, m'avoua-
t-elle. Il prétendait qu'il aurait peut-être besoin de
moi au restaurant.
Le père de Margot possède un immense restaurant,
«La Nouba». On dirait plutôt une vieille baraque
avec des pièces énormes, où il organise des soirées et
des banquets.
Des tas d'enfants y fêtent leur anniversaire. Et il y a

aussi des repas de baptême, de communion, des réceptions de mariage, des cocktails. Il arrive souvent que plusieurs fêtes de ce genre s'y déroulent en même temps !

– Eh bien, je suis contente que tu n'aies pas eu à travailler aujourd'hui, dis-je à Margot.

– Moi aussi, soupira-t-elle. Papa me réserve toujours les pires corvées. Débarrasser les tables. Remporter les plats aux cuisines. Vider les restes dans des grands sacs poubelles. Beurk !

Elle se mit à chanter, puis s'interrompit soudain et se redressa sur le lit.

– Ah, j'ai failli oublier ! Papa a peut-être un boulot pour toi !

– Tu veux rire ! Vider les restes dans des sacs poubelles ? Non merci ! Je crois que je m'en passerai.

– Mais non, écoute ! enchaîna Margot avec excitation. C'est un bon job. Papa a toute une série de goûters d'anniversaire qui lui tombent dessus. Pour des petits bambins de deux ou trois ans. Et il a pensé que tu pourrais les divertir.

– Hein ?

Je regardai mon amie. Je ne comprenais pas.

– Avec Totoche, précisa Margot.

Elle balançait la tête au rythme de la musique, tout en enroulant une longue mèche de ses cheveux dorés autour de son index.

– Papa a vu ton numéro de ventriloque à la fête de l'école. Il a été très impressionné.

– Quoi ? J'étais mauvaise, ce soir-là !

– Ce n'est pas l'avis de Papa. Bref, il souhaiterait que tu fasses ton numéro de ventriloque pour les goûters de ces enfants. Il te paierait, bien sûr. Et les gosses adoreraient ça.

– Mais c'est génial !

L'idée m'excitait mais, me levant d'un bond, j'allai prendre la tête de Totoche sur son fauteuil et la montrai à mon amie.

– Il y a un problème, Margot.

Elle en lâcha sa mèche de cheveux et écarquilla les yeux.

– Ma parole, tu lui as coupé la tête ? Pourquoi ?

– Ne dis pas de bêtises, rétorquai-je. Elle s'est détachée toute seule. Chaque fois que je me sers de Totoche, elle dégringole.

– Oh, zut ! Ça fait bizarre, cette tête décapitée. Si des petits la voient tomber, ça pourrait leur donner des cauchemars.

– Je suis d'accord. Totoche est complètement fichu. Papa m'a promis un nouveau pantin, mais il ne l'a pas encore trouvé.

– Dommage, soupira Margot. Tu te serais bien amusée.

Nous écoutâmes les Beatles encore un moment, puis Margot rentra chez elle.

Quelques minutes après, j'entendis claquer la porte d'entrée.

– Hé, Chloé ! Chloé, tu es là ? appelait Papa du salon.

– J'arrive !

Quand je le rejoignis, je vis qu'il avait le sourire aux lèvres et une grande boîte sous le bras.

– Pour toi, ma chérie, dit-il en me tendant la boîte. Joyeux non-anniversaire !

– Papa ! C'est... ?

– Oui ! Ton nouveau pantin.

Je m'empressai d'ouvrir la boîte et en extirpai le pantin avec précaution.

Sa tête de bois s'ornait de cheveux peints, ondulés, de couleur brune. Ses yeux étaient d'un bleu luisant – pas éteints comme ceux de Totoche. Ses lèvres rouge vif se retroussaient sur un curieux sourire. Je lui trouvai une expression intense, comme attentive, difficile à définir.

Dès l'instant où je le retirai de la boîte, il me sembla qu'il me regardait. L'éclat de ses yeux parut s'intensifier, son sourire s'élargir.

Un frisson me parcourut soudain. Ce pantin avait-il l'air de se moquer de moi ?

Je le soulevai pour l'étudier de plus près. Il portait un costume gris croisé sur un col de chemise blanc. Le col était épinglé à son cou, car il n'avait pas de chemise, mais son torse de bois peint en blanc en donnait l'illusion.

Des grosses chaussures de cuir noir pendaient au bout de ses petites jambes maigres.

– Papa ! Il est super !

– Je l'ai trouvé dans une brocante, expliqua Papa qui feignit de serrer la main du pantin. Comment vas-tu, Diabolo ?

– Diabolo ? m'étonnai-je. Il s'appelle comme ça ?

– C'est le nom que lui a donné le brocanteur, répondit Papa en secouant les bras de Diabolo et détaillant son costume.

– Je me demande d'ailleurs pourquoi cet homme me l'a vendu si bon marché, reprit-il. Il me l'a pratiquement cédé pour rien !

Je retournai le pantin. Au creux de son dos, je repérai la ficelle qui lui faisait ouvrir et fermer la bouche.

– Il est parfait, Papa. Merci beaucoup.

J'embrassai mon père sur la joue.

– Il te plaît vraiment ?

Diabolo me souriait. Ses yeux bleus étaient rivés aux miens. Il semblait attendre ma réponse, lui aussi.

– Oui ! Il a quelque chose d'inquiétant, dis-je. J'aime son regard sérieux. Ses yeux ont l'air si vrais.

– Ils bougent, m'informa Papa. Ils ne sont pas peints comme ceux de Totoche. Ils ne clignent pas, mais ils se déplacent d'un côté à l'autre.

Je tâtonnai dans le dos du pantin.

– Comment les fait-on bouger ?

– Ce n'est pas difficile. Le brocanteur me l'a montré. D'abord, tu dois saisir la ficelle qui articule ses lèvres...

– Je l'ai !

– Ensuite, tu glisses ta main dans la tête du pantin. Là, il y a un petit levier. Il te suffit de le pousser à droite ou à gauche, et les yeux suivront.

– D'accord, je vais essayer.

Ma main remonta à l'intérieur de Diabolo, s'insinua sous sa nuque, puis dans sa tête.

Je m'arrêtai en poussant un cri de frayeur quand mes doigts rencontrèrent quelque chose de mou.

Quelque chose de mou et de tiède.

Son cerveau !

– Ooooh !

Je retirai ma main aussi vite que possible en gémissant de dégoût. Je sentais encore sous mes doigts la chose molle et tiède.

– Chloé, ça ne va pas ? demanda Papa.

– Je, heu... j'ai touché son cerveau !

– Qu'est-ce que tu racontes, voyons !

Papa s'empara du pantin. À son tour, il le retourna, plongea la main à l'intérieur, remonta vers la tête.

Je vis ses yeux s'agrandir de surprise. Il semblait s'être empêtré dans quelque chose. Il retira enfin sa main.

– Beurk ! grognai-je. C'est quoi, ce machin ?

Papa avait les yeux fixés sur la substance verdâtre qui lui collait aux doigts.

– On dirait que quelqu'un a oublié un sandwich, là-dedans !

L'écœurement lui crispait le visage.

– C'est tout moisi, pourri. Ça devait être là depuis des mois !

– Et en plus, ça sent mauvais ! dis-je. Pourquoi oublierait-on un sandwich dans la tête d'un pantin ?

– Ça me dépasse, grommela Papa dépité.

Il me rendit Diabolo et se précipita dans la cuisine pour se débarrasser du vieux sandwich puant.

Je l'entendis le jeter dans le vide-ordures et se laver les mains. Quelques instants plus tard, il revint dans le salon en s'essuyant avec un torchon.

– Si nous voulons nous éviter d'autres mauvaises surprises, nous ferions mieux d'examiner Diabolo sous toutes les coutures, suggéra-t-il.

Je transportai le pantin dans la cuisine et je l'étendis sur la table. Papa commença par se pencher sur les chaussures du pantin. Elles étaient soudées à ses jambes et ne s'enlevaient pas.

Je mis mon doigt sous le menton de Diabolo et fis bouger sa bouche de haut en bas. Puis je scrutai ses mains de bois.

Je déboutonnai son costume gris et palpai sa chemise peinte. La peinture était écaillée par endroits. Hormis ce détail, tout me semblait correct.

– Je ne vois rien d'anormal, Papa.

Papa hocha la tête. Puis il renifla le bout de ses doigts et grimaça. Je suppose qu'il n'avait pas réussi à se débarrasser totalement de l'odeur.

– Il faudrait vaporiser l'intérieur de sa tête avec du désinfectant et de l'eau de Cologne, déclara-t-il.

J'étais en train de reboutonner la veste du pantin quand quelque chose attira mon regard.

Quelque chose de jaune. Un morceau de papier

dépassant de sa poche. « Probablement un ticket de caisse », pensai-je.

Mais quand je dépliai le carré de papier jaune, j'y découvris une curieuse inscription. Une série de mots aux consonances étranges, dans une langue que je ne connaissais pas.

Je le déchiffrai à voix haute : « Karru marri odonna loma molonu karrano. »

« Qu'est-ce que ça peut bien signifier ? » me demandai-je.

Au même instant, je regardai Diabolo. Je vis ses lèvres rouges frémir d'amusement.

Et il m'adressa un imperceptible clin d'œil.

– P-Papa ! Il... il a bougé !
– Pardon ?
Papa était retourné se laver les mains.
– Il a bougé ! Il m'a fait un clin d'œil !
– Impossible, Chloé. Ses yeux ne peuvent pas cligner. Ils ne peuvent que se déplacer à droite et à gauche.
– Je te jure que c'est vrai ! insistai-je. J'ai vu ses lèvres remuer, et son œil s'est fermé.
Intrigué, Papa s'approcha de la table. Il saisit Diabolo par la tête et la souleva pour l'examiner.
– Ma foi, murmura-t-il, les paupières ont peut-être besoin d'être mieux fixées. Avec un petit tournevis, je...
Il n'acheva pas sa phrase. Parce que Diabolo, d'un vif mouvement de sa main de bois, venait de lui assener une gifle retentissante.
– Aïe ! cria Papa en laissant retomber le pantin sur la table.

Il porta la main à sa joue.

– Chloé ! Qu'est-ce qui te prend ? Ça fait mal !

– Moi ? m'étranglai-je. Mais je n'ai rien fait !

Papa me lança un regard furieux en se frottant la joue. Elle était devenue violacée.

– C'est le pantin ! Il t'a frappé tout seul ! Je ne l'ai même pas touché.

– Tu n'es pas drôle, marmonna-t-il. Tu sais que je n'apprécie pas ce genre de farce.

J'ouvris la bouche pour protester de plus belle, mais je me ravisai. Ça ne servait à rien. Papa ne croirait jamais que c'était Diabolo qui l'avait giflé.

Je n'arrivais pas à le croire moi-même.

Il avait dû tirer trop fort sur la tête du pantin, faire une fausse manœuvre, actionner son bras sans le vouloir.

Quelle autre explication pouvait-il y avoir ?

Je fis donc mes excuses. Puis Papa m'aida à laver Diabolo à l'aide d'une éponge humide. Après avoir nettoyé le pantin, je vaporisai du désinfectant à l'intérieur de sa tête. Il commençait à devenir très présentable.

Dans ma chambre, j'installai Diabolo sur le fauteuil, à côté de Totoche, et je téléphonai à Margot.

– J'ai un nouveau pantin ! dis-je, tout excitée. Je peux jouer devant les enfants, pour les goûters d'anniversaire !

– Génial, Chloé ! Tout ce qu'il te manque, à présent, c'est un bon numéro qui soit à leur portée.

Elle avait raison. Il me fallait un répertoire de blagues et de réparties comiques pouvant amuser des petits.

Le lendemain, après l'école, je courus à la bibliothèque emprunter des recueils d'histoires drôles. À la maison, je les étudiai et recopiai quelques dialogues que je pensais pouvoir utiliser avec Diabolo. Après le dîner, j'expédiai mes devoirs et commençai à répéter. Je m'assis devant le miroir de ma coiffeuse, Diabolo à mes côtés, afin de pouvoir nous observer tous les deux pendant que je jouais.

Chaque fois qu'il devait me donner la réplique, je m'efforçais de prononcer les mots clairement tout en remuant les lèvres le moins possible. Au même moment, j'ouvrais et refermais la bouche du pantin pour donner l'impression que c'était lui qui parlait. Au début j'avais du mal à faire bouger sa bouche et ses yeux en même temps, mais peu à peu, cela devint plus facile.

J'essayai quelques blagues que les enfants aimeraient probablement.

— Toc, toc, toc, disait le pantin.

— Qui est là ? demandais-je en le regardant dans les yeux comme si je m'adressais à lui.

— Harry.

— Harry comment ?

— Haricot vert, hé, patate !

J'articulais les mots encore et encore tout en me surveillant dans le miroir. Je voulais être excellente. Je voulais être parfaite. Je voulais égaler, dans mon propre domaine, Sara et sa peinture.

«Je testerai mon numéro jeudi, au moment du partage familial, me dis-je. Papa sera content de voir que j'ai bien travaillé. Et au moins, je sais que la tête de Diabolo ne roulera pas par terre.»

Dans le miroir, j'aperçus Totoche, oublié sur son fauteuil. Il avait un petit air accablé, la tête pratiquement couchée sur l'épaule. Cela me fit un peu de peine.

Le jeudi soir, il me tarda d'arriver à la fin du dîner pour que le partage familial puisse commencer. J'étais impatiente de montrer à ma famille mon nouveau numéro avec Diabolo.

À table, Sara nous parla longuement du concours de peinture de l'État – un concours auquel elle venait de participer en envoyant une composition florale.

– Ah oui, se rappela Maman. Quand sauras-tu les résultats?

Je n'écoutai pas la réponse de Sara. Mon esprit vagabondait. Je pensais, entre autres choses, à mon sketch de ce soir qu'il me fallait absolument réussir.

– Heu... Je vais faire la vaisselle, annonçai-je.

Je repoussai ma chaise. Mais je me figeai avec une exclamation de surprise en voyant une petite silhouette se faufiler dans le salon.

Mon vieux pantin! Il traversait la pièce en catimini!

Je désignai le salon d'un doigt tremblant.

– M-Maman ! Papa ! bégayai-je. Regardez ! C'est Totoche !

Sara, qui était toujours en train de parler de son concours de peinture, se retourna pour voir ce qui laissait tout le monde bouche bée.

Totoche surgit de derrière un fauteuil.

J'entendis un petit rire étouffé. Le rire de John.

Le pantin saisit des deux mains sa tête de bois et l'enleva. Émergeant du col roulé de son pull apparut alors la tête de mon frère. Il se tordait de rire. Tout le monde se mit à rire aussi.

Tout le monde sauf moi. Je venais d'avoir très peur. John était petit et menu. J'avais réellement eu l'impression de voir Totoche déambuler dans la pièce.

– Arrêtez de rire comme ça ! m'écriai-je. Ce n'est pas drôle.

– Je trouve ça très drôle, au contraire, objecta

Maman. C'est vraiment une idée originale !
– Très astucieux, renchérit Papa.
Sara m'observait avec curiosité.
– Tu as eu une sacrée trouille, Chloé, dit-elle. On entendait tes dents claquer !
– Jamais de la vie ! Je savais que c'était Totoche – heu, je veux dire John !
C'est de moi que tout le monde riait, à présent ! Je me mis à rougir. Quelle charmante famille, vraiment !
Je fis le tour de la table et arrachai à John la tête du pantin.
– Si tu touches encore une fois à mes affaires, je t'assomme !
Je sortis pour aller remettre la tête de Totoche à sa place, dans ma chambre.
– Ce n'était qu'une plaisanterie, Chloé ! cria la voix de Sara dans mon dos.
– Ouais, juste une plaisanterie ! répéta John.
– Ha-ha ! rétorquai-je. J'ai tellement ri que j'en ai mal aux côtes.

Ma colère s'était apaisée quand commença le partage familial. Nous nous installâmes dans le salon, à nos places habituelles.
Maman parla la première. Elle nous raconta une petite mésaventure assez drôle qui lui était arrivée à son travail.
Maman travaille dans une élégante boutique de prêt-à-porter en ville. Le matin, une cliente obèse avait

poussé la porte du magasin en insistant pour n'essayer que des robes minuscules, et elle les avait systématiquement fait craquer. Cela nous amusa tous. Mais j'étais surprise d'entendre Maman raconter cette histoire, parce qu'elle est elle-même plutôt grassouillette. Et très susceptible là-dessus.

Aussi susceptible que Papa pour ce qui concerne son début de calvitie. Papa a perdu pas mal de cheveux au sommet du crâne ces derniers temps, et il n'aime pas du tout qu'on lui en fasse la remarque.

Puis Papa sortit sa guitare, et la famille gémit. Il chanta quelque chose sur la jument d'un certain Père Matthieu.

On applaudit très fort en criant bravo. Mais il savait que nous n'étions pas sincères.

Quand vint le tour de John, ce dernier prétendit avoir déjà partagé.

– Me déguiser en Totoche, tout à l'heure, c'était ça, ma participation, expliqua-t-il en toute simplicité.

Personne n'avait envie de le contredire.

– À toi, Chloé, dit Maman en se rapprochant de Papa sur le canapé.

Je saisis Diabolo et l'installai sur mes genoux. J'étais un peu nerveuse. Je voulais faire du bon travail et impressionner mon auditoire.

Ayant répété toute la semaine, je connaissais mon texte par cœur. Mais en glissant ma main dans le dos du pantin et en la refermant sur la ficelle qui actionnait sa bouche, j'avais l'estomac drôlement noué.

Je m'éclaircis la gorge et commençai :

– Bonsoir à tous. Je vous présente Diabolo. Dis bonjour à ma famille, Diabolo.

– Bonjour à ma famille !

Je fis bouger les yeux de Diabolo de droite à gauche. Tout le monde gloussa.

– Ce nouveau pantin est bien mieux que Totoche ! commenta Maman.

– Mais c'est la même ventriloque, observa cruellement Sara.

Je lui jetai un regard noir.

– Je plaisantais, je plaisantais, s'empressa de préciser ma sœur.

– Je trouve que ce pantin a une sale tronche, déclara John.

– Oh, fichez-lui la paix, intervint Papa d'un ton sec. Vas-y, Chloé, nous t'écoutons.

Je me raclai de nouveau la gorge et annonçai :

– Diabolo et moi, nous allons vous raconter quelques bonnes blagues.

Je regardai le pantin.

– Toc, toc, toc, dis-je.

– Laisse tomber ces idioties ! fusa la réponse.

J'ouvris la bouche, stupéfaite. Déjà, Diabolo se détournait vivement pour faire face à ma mère.

– Hé toi, la grosse ! Faudrait arrêter de manger des pâtisseries ! Tu finiras par défoncer le canapé !

– Hein ? s'étrangla Maman. Chloé...

– Chloé, ce n'est pas drôle ! protesta Papa.

– Il est pas content, le déplumé ? lui cria Diabolo. C'est ta tête, ça ? Ou bien un œuf d'autruche ?

– Ça suffit, Chloé ! Arrête tout de suite ! ordonna mon père.

– Mais... mais... mais... bégayai-je.

– Avec trois trous dans le crâne, tu pourrais servir de boule de bowling ! continua de brailler Diabolo à l'intention de Papa.

– Tes plaisanteries sont de très mauvais goût ! s'exclama Maman. Tu nous fais de la peine, Chloé !

– Tu devrais avoir honte ! tonna Papa.

– Mais, Papa, je... je n'ai rien dit de tout ça ! Ce n'est pas moi ! C'est Diabolo ! Je le jure !

Diabolo releva la tête. Son rictus rouge parut s'accentuer. Ses yeux bleus étincelaient.

– Ai-je mentionné que vous êtes tous moches comme des poux ? demanda-t-il.

Tout le monde se mit à crier en même temps.

Je laissai tomber Diabolo sur le fauteuil. Je tremblais de la tête aux pieds.

Je savais que je n'avais pas parlé.

Mais un pantin ne pouvait pas s'exprimer, n'est-ce pas?

Bien sûr que non. Cela signifiait-il que j'avais insulté ma famille sans même m'en rendre compte?

Debout, côte à côte, Maman et Papa me dévisageaient avec un air de reproche.

– Tu pensais vraiment nous amuser? demanda Maman. Tu crois que ça me plaît d'être appelée la grosse?

Pendant ce temps, John riait comme un idiot, vautré sur la moquette. Il trouvait ça désopilant.

Sara s'était adossée au mur, ses cheveux noirs lui masquant le visage. Elle secoua la tête:

– Tu dois avoir un gros problème, Chloé. Quelle mouche t'a piquée?

Je l'ignorai. Crispant les poings, je fis face à mes parents et tentai une fois de plus de me justifier :

— Il faut me croire ! Je n'ai pas dit ces choses. Ce n'était pas moi !

— Ouais, ouais, d'accord, ricana John. Le grand méchant, c'est Diabolo.

— Assez ! Silence ! cria Papa.

Son visage était rouge brique.

Maman lui caressa le dos pour l'apaiser. Elle n'aime pas le voir s'exciter ou se mettre en colère.

Papa se croisa les bras sur la poitrine. La sueur perlait à son front. Le silence envahit la pièce.

— Chloé, nous ne pouvons pas te croire, dit-il après avoir repris son calme.

— Mais...

Il leva la main pour me faire taire.

— Tu peux raconter des histoires captivantes. Mais nous n'allons pas avaler ça. Désolé. Nous n'allons pas croire que ton pantin a parlé tout seul.

— C'est pourtant la vérité !

J'étais sur le point d'éclater en sanglots.

Papa secoua la tête.

— Arrête, Chloé. C'est toi qui nous as insultés. Et maintenant, je veux que tu nous présentes des excuses, à ta mère et à moi. Ensuite, tu prendras ton pantin et tu iras dans ta chambre.

Comprenant que je ne réussirais jamais à les convaincre, je n'insistai pas.

— Je regrette, murmurai-je en retenant mes larmes. Je regrette sincèrement.

Je saisis Diabolo sur le fauteuil et l'emportai en le tenant par la taille, de sorte que ses bras et ses jambes pendaient vers le plancher.

– Bonne nuit, dis-je en m'éloignant dans le couloir.

Derrière moi, j'entendis Sara demander :

– Et mon tour, alors ?

– Le partage familial est terminé, répondit Papa d'une voix lasse. Vous deux, fichez le camp. Laissez nous seuls, votre mère et moi.

Il semblait vraiment contrarié. Je ne pouvais pas le lui reprocher.

J'entrai dans ma chambre et fermai la porte. Puis je soulevai Diabolo en le tenant sous les épaules et regardai son visage.

Ses yeux me dévisageaient froidement. Ses lèvres se tordaient en un sourire déplaisant. Il semblait se moquer de moi.

Bien sûr, c'était impossible. Mon imagination me jouait des tours. Diabolo n'était qu'un pantin, après tout. Juste un assemblage de bois peint.

Je scrutai avec attention ses yeux bleus glacés.

– Diabolo, tu m'as attiré bien des ennuis ce soir, dis-je.

La soirée avait été épouvantable, en effet, mais la journée du lendemain devait se révéler pire encore.

D'abord, je fis tomber le plateau de mon déjeuner en plein réfectoire. Les plateaux étaient tout mouillés, et le mien me glissa des mains.

Les assiettes heurtèrent le sol avec fracas, et mon déjeuner se renversa sur ma nouvelle paire de mocassins. Tout le monde applaudit et cria bravo.

J'étais plus qu'embarrassée.

Dans l'après-midi, on nous remit nos bulletins trimestriels.

Sara rentra à la maison en chantonnant, sourire aux lèvres. Rien ne la rend plus heureuse que d'être parfaite. Et ses notes étaient exceptionnelles.

Je suis injuste envers Sara. Elle avait le droit d'être heureuse. Non seulement à cause de son bulletin, mais aussi parce que sa composition florale venait de remporter le premier prix au concours de peinture de l'État.

On ne pouvait donc pas lui reprocher de sautiller à travers la maison en chantant à tue-tête. Elle n'essayait pas de nous en mettre plein la vue, ni de me ravaler au rang de minable parce que j'avais deux zéros. L'un en math, l'autre en physique.

Après tout, si on m'avait remis le pire bulletin de ma vie, elle n'y était pour rien.

Je m'efforçai donc de maîtriser ma jalousie, et parvins à ne pas l'étrangler quand elle me parla pour la dixième fois de son prix. Mais ce ne fut pas facile.

Il me fallait inventer quelque chose pour faire passer les deux zéros. J'envisageais de dire aux parents que tout le monde en classe avait eu zéro en math et en physique. «La prof n'a pas eu le temps de corriger nos devoirs. Alors, elle nous a mis zéro à tous – par souci de justice.»

C'était une bonne idée. Mais pas suffisamment géniale. Et Maman et Papa n'avaleraient jamais ça.

Je faisais les cent pas dans ma chambre, essayant de trouver une excuse plus valable. Au bout d'un moment, je remarquai que Diabolo me regardait. Assis dans le fauteuil à côté de Totoche, il m'observait en souriant.

Un frisson me parcourut. Suivait-il des yeux mes allées et venues?

Non, c'était impossible.

Je saisis Diabolo et le retournai pour échapper à son regard. Inutile de perdre mon temps à m'interroger sur un stupide pantin. Papa et Maman allaient rentrer d'une minute à l'autre, et j'avais besoin d'une bonne excuse pour justifier mes notes catastrophiques.

Croyez-vous que je finis par en trouver une? Non.

Croyez-vous que mes parents furent scandalisés ? Oui.

Même John – qui s'en moque complètement – avait eu un meilleur carnet que moi. Dans sa classe, en primaire, il n'y a pas de notes ; l'instituteur se contente d'écrire un rapport.

Celui de John disait que c'était un enfant attachant et un très bon élève. Cet homme devait être malade !

Le samedi matin, je téléphonai à Margot.

– Je ne pourrai pas venir te voir ce week-end, soupirai-je. Mes parents me l'interdisent.

– Mon bulletin n'a pas été génial non plus, répondit Margot.

Tout en bavardant avec mon amie, je me regardais dans le miroir.

« Je ressemble trop à Sara, pensai-je. Pourquoi faut-il que j'aie l'air d'être sa sœur jumelle ? Peut-être devrais-je me couper les cheveux très court. »

– Dommage que tu ne puisses venir, continua Margot. Nous aurions pu réfléchir à ton numéro avec Diabolo pour le goûter dans le restaurant de mon père, samedi prochain.

– Je sais. Mais ils ne me laisseront aller nulle part tant que je n'aurai pas terminé mon exposé de physique.

– Tu ne l'as toujours pas rendu ?

– Je l'avais plus ou moins oublié. Je viens de reprendre tout mon brouillon à zéro.

– Papa compte sur toi, Chloé !

– Dès que j'aurai terminé mon exposé, je commencerai à répéter, promis-je. Dis à ton père de ne pas s'inquiéter, Margot. Dis-lui que je serai géniale.

On bavarda quelques minutes encore. Puis Maman me cria de raccrocher.

Je m'échinai sur mon exposé toute la matinée et une bonne partie de l'après-midi. Et je le terminai.

Ensuite, je le relus deux fois. Il me sembla excellent.

«Ce qu'il me faut maintenant, me dis-je, c'est le glisser dans une belle chemise en carton et décorer la couverture.»

J'avais besoin de feutres pour réussir une couverture qui attire l'œil. Mais les miens étaient tout desséchés. Je les jetai dans la corbeille et me rendis dans la chambre de Sara. Je savais qu'elle en avait tout un tas dans un tiroir.

Sara était sortie faire du lèche-vitrine avec une bande de copines. Miss Perfection avait bien entendu le droit de passer son samedi dehors et d'aller se balader où bon lui semblait.

J'étais certaine qu'elle ne m'en voudrait pas si je lui empruntais quelques feutres.

John me coinça devant sa porte.

– Pourquoi vas-tu dans la chambre de Sara? me demanda-t-il.

– Ça ne te regarde pas! m'écriai-je en le repoussant.

J'entrai dans la chambre de Sara pour prendre les feutres.

De retour dans la mienne, je mis presque une heure à fignoler ma couverture. Je la parsemai de molécules et d'atomes de toutes les couleurs. Mon prof allait être impressionné.

Sara rentra à la maison au moment où je terminais. Elle portait un grand sac rempli des vêtements qu'elle s'était achetés.

Elle se dirigea vers sa chambre.

– Maman ! appela-t-elle. Viens voir ce que je me suis payé !

Maman apparut, chargée d'une pile de serviettes fraîchement repassées.

– Je peux voir aussi ? demandai-je.

Et je les suivis dans la chambre de Sara.

Mais celle-ci s'arrêta net devant sa porte. Son sac lui tomba des mains, et elle poussa un hurlement.

Je me précipitai, Maman sur mes talons. Je jetai un coup d'œil dans la chambre.

Quel spectacle ! Quelqu'un avait renversé à terre une bonne dizaine de pots de peinture. Des rouges, des jaunes, des bleus. La peinture était répandue sur la moquette beige de Sara comme une grande flaque de boue multicolore.

C'était une vision de cauchemar.

– Je ne peux pas le croire, répétait Sara. Je ne peux pas le croire !

– La moquette est fichue ! s'exclama Maman en s'avançant dans la pièce. John ! John ! Viens ici tout de suite !

– Pas la peine de crier, dit doucement John.

Nous nous retournâmes pour découvrir mon frère juste derrière nous, dans le couloir.

53

Maman lui jeta un regard noir.

– John, qu'est-ce que tu as fait ?

– Quoi ? s'étonna-t-il.

– Ne mens pas ! cria Sara. C'est toi qui as fait ça ? Tu es encore entré dans ma chambre ?

– Jamais de la vie ! protesta John. Je ne suis pas entré dans ta chambre aujourd'hui, Sara. Pas une seule fois. Mais j'ai vu Chloé y entrer. Et elle n'a pas voulu me dire pourquoi.

Sara et Maman se tournèrent toutes deux vers moi, l'air accusateur.

– Comment as-tu osé? glapit Sara.

– Hé, minute! m'indignai-je. Je n'ai rien fait du tout!

– J'ai demandé à Chloé pourquoi elle entrait là-dedans, insista John. Et elle m'a répondu que ça ne me regardait pas.

Maman secoua la tête.

– Chloé, je suis horrifiée. C'est... c'est insensé!

– Oui, insensé, approuva Sara. Tu es malade. Toute ma peinture! Quel gâchis! Et je sais pourquoi tu as fait ça. C'est parce que tu es jalouse de mon bulletin de notes.

– Mais je n'ai rien fait! Combien de fois faut-il vous le répéter? Je n'ai rien fait! Je n'ai rien fait! Je n'ai rien fait!

– Chloé, personne d'autre que toi n'aurait pu le faire, observa Maman. Si ce n'est pas John, tu...

– Je suis entrée dans la chambre de Sara pour emprunter des feutres, c'est tout ! J'en avais besoin et...

– Chloé... soupira Maman en désignant l'énorme flaque du doigt.

– Je vais vous le prouver ! criai-je. Je vais vous montrer ce que j'ai emprunté !

Je courus dans ma chambre, et pris d'une main tremblante les stylos sur mon bureau.

Mon cœur cognait dans ma poitrine. Comment pouvait-on m'accuser de cette chose affreuse ? Ma famille pensait donc que j'étais un monstre ? Que j'étais jalouse de ma sœur au point de chercher à lui nuire à n'importe quel prix ? Me croyaient-ils folle ?

Je repartis à toute allure vers la chambre de ma sœur. John était assis sur le lit, les yeux baissés sur la flaque de peinture.

Maman et Sara la contemplaient aussi, incrédules. Maman exprimait sa désapprobation en émettant de drôles de petits bruits secs avec sa langue.

– Tenez ! criai-je. Vous voyez ?

Je brandis les feutres sous leurs yeux.

– Voilà pourquoi je suis venue dans la chambre de Sara. Je ne mens pas !

– Chloé, il n'y avait que trois personnes à la maison cet après-midi, dit Maman. Toi, moi et John.

Elle s'efforçait visiblement de ne pas s'énerver.

– Je sais, balbutiai-je, mais...

Elle leva la main pour m'imposer silence.

– Je n'ai certainement pas commis cette horreur, reprit-elle. Et John dit qu'il n'a rien fait non plus. Alors... ?

Sa voix resta en suspens.

– Maman ! Je ne suis pas une malade mentale ! fulminai-je. Est-ce que vous allez me croire, à la fin ?

– Tu te sentirais mieux si tu avouais tout, insista-t-elle. Nous pourrions alors parler calmement de tout ça et...

Avec un cri de colère, je jetai les feutres par terre sans écouter la suite. Je fis vivement demi-tour, sortis en trombe et courus m'enfermer dans ma chambre en claquant la porte. Là, je m'effondrai sur mon lit et me mis à sangloter.

Je ne sais pas combien de temps je pleurai ainsi. Finalement, je me relevai, le visage ruisselant, et je me dirigeai vers la coiffeuse pour prendre des mouchoirs en papier.

Mais quelque chose accrocha mon regard. N'avais-je pas retourné Diabolo tout à l'heure de façon à ne voir que son dos ?

Il me faisait face, à présent. Il me dévisageait. Son sourire semblait plus moqueur que jamais.

L'avais-je remis dans cette position sans m'en rendre compte ? Je ne m'en souvenais plus.

Et qu'y avait-il sur ses chaussures ?

J'essuyai mes larmes du revers de la main et m'approchai pour mieux regarder. Le choc m'arracha une exclamation étouffée.

De la peinture... rouge, bleue et jaune.

Oui ! Les grosses chaussures noires de Diabolo étaient maculées de traînées de peinture encore fraîche !

Quand Papa rentra à la maison et qu'il vit la chambre de Sara, il faillit avoir une attaque. Son visage devint rouge comme une tomate. Sa poitrine se mit à enfler par saccades.

Toute la famille se rassembla dans le salon, comme pour le partage familial. Sauf que ce n'était pas le bon jour. C'était plutôt le jour «Qu'allons-nous-faire-de-cette-pauvre-Chloé!».

– Chloé, tu dois d'abord nous dire la vérité, commença Maman.

Elle était assise à un bout du canapé, raide, les mains sur ses genoux.

Papa se tenait à l'autre bout, pianotant nerveusement sur l'accoudoir. John et Sara occupaient leur place habituelle, par terre, le dos au mur.

– Mais je dis la vérité, affirmai-je pour la énième fois.

J'étais affalée dans un fauteuil en face d'eux. Mes cheveux me retombaient sur les yeux. Le devant de mon T-shirt blanc était encore humide de larmes.

— Si seulement vous vouliez m'écouter, soupirai-je.

— Eh bien, nous t'écoutons, dit Maman.

— Quand je suis retournée dans ma chambre, il y avait des taches de peinture sur les chaussures de Diabolo, et...

— Assez ! cria Papa en bondissant sur ses pieds.

— Mais, Papa...

— Assez ! répéta-t-il. Plus de fariboles. Les contes de fées, c'est terminé. Nous ne voulons pas entendre parler de ces taches de peinture sur les chaussures de Diabolo. Nous voulons une explication au vandalisme qui a été commis dans la chambre de Sara aujourd'hui.

— Mais je vous en donne une ! Pourquoi Diabolo avait-il de la peinture sur ses chaussures ? Pourquoi ?

Papa se laissa retomber sur le canapé avec un soupir. Il chuchota quelque chose à Maman. Elle lui chuchota quelque chose à son tour.

Je crus entendre le mot « docteur ».

— Allez-vous... allez-vous m'emmener voir un psychiatre ? hasardai-je.

— Tu penses en avoir besoin ? répondit Maman en me regardant fixement.

Je secouai la tête.

— Non.

— Ton père et moi devons réfléchir. Nous ferons ce qu'il y a de mieux pour toi.

Ce qu'il y avait de mieux pour moi?

Ils me punirent pendant deux semaines. Pas de cinéma. Pas de visites. Pas de promenades.

Ils m'observaient souvent à la dérobée, m'étudiaient comme si j'étais une extraterrestre.

Sara manifestait une grande froideur à mon égard. Il avait fallu vider entièrement sa chambre pour changer la moquette, ce qui la contrariait.

Même John se comportait différemment. Il marchait plus ou moins sur la pointe des pieds en ma présence et gardait ses distances, un peu comme si j'avais une maladie contagieuse. Il ne me taquinait plus, ne me traitait plus de tous les noms. Cela finissait par me manquer. Qui l'eût cru?

Je me sentais misérable. J'aurais voulu tomber réellement malade. Attraper une sale maladie qui leur aurait fait pitié. Peut-être auraient-ils cessé de me traiter comme une criminelle.

Une bonne chose, cependant: mes parents m'autorisaient à exécuter mon numéro de ventriloque à « La Nouba », le samedi.

Chaque fois que je soulevais Diabolo, j'éprouvais une drôle de sensation. Je me rappelais la peinture sur ses chaussures et le désastre dans la chambre de ma sœur. Mais n'ayant pu trouver une seule explication valable à ce phénomène, je continuais de répéter tous les soirs avec le pantin.

J'apprenais par cœur pas mal de petites blagues naïves qui, j'en étais sûre, plairaient beaucoup aux enfants. Je m'étudiais dans la glace en travaillant. Je progressais. Je contrôlais mieux le mouvement de mes lèvres. Je savais actionner sans difficulté la bouche et les yeux de Diabolo en même temps.

– Toc, toc, toc, faisais-je dire au pantin.

– Qui est là ?

– Eddie.

– Eddie qui ?

– Et dix sous la balayette ! T'aurais pas un bouchoir ? J'ai attrapé un sacré rhube !

Et je ramenais la tête de Diabolo en arrière, j'ouvrais sa bouche en grand et secouais tout son corps dans une série d'éternuements bruyants.

Je pensais que mon public de bambins trouverait ça irrésistible. Et je répétais encore et encore mon numéro comique. Je travaillais avec acharnement.

J'ignorais que la représentation n'aurait jamais lieu.

Le samedi après-midi, Maman me déposa à « La Nouba ».

– Tâche de donner un bon spectacle ! me recommanda-t-elle en s'éloignant au volant de sa voiture.

Je portais Diabolo dans mes bras. Margot vint à ma rencontre et m'accueillit avec un grand sourire.

– Juste à l'heure ! s'écria-t-elle. Les enfants sont presque tous là. Ils se comportent comme des animaux !

– Oh, génial ! marmonnai-je en levant les yeux au ciel.

– Mais ils sont tellement mignons ! ajouta Margot.

Elle m'acompagna jusqu'à la salle du goûter. Des bouquets de ballons rouges et jaunes pendaient au plafond. Je vis une grande table, joliment décorée, et entourée de chaises. Au dossier de chaque chaise était attaché un ballon flottant au bout d'une ficelle sur lequel on avait inscrit le nom d'un invité.

Les enfants étaient adorables. J'en comptai dix en tout, qui couraient à travers la salle immense.

Leurs mères se tenaient près d'une deuxième table, contre le mur du fond. Elles bavardaient entre elles avec animation, certaines assises, d'autres debout. Parfois, l'une d'elles criait à son enfant de se calmer un peu.

– Je m'occupe du service, me confia Margot. Je sers des boissons et passe les bonbons à la ronde. Papa veut que tu fasses ton numéro en premier. Avant le goûter. Pour calmer cette marmaille.

Je déglutis.

– Je dois commencer tout de suite ?

J'avais été tout excitée, jusqu'à présent. À peine capable d'avaler en vitesse mon déjeuner, à midi. Et maintenant, je commençais à avoir le trac. Mon estomac faisait des nœuds.

Margot me conduisit vers une estrade peinte en bleu, à l'autre bout de la salle. C'était la scène.

Mon cœur se mit à battre à coups redoublés. J'avais la gorge sèche.

Étais-je capable de monter sur cette scène et d'exécuter mon numéro devant tous ces gens ? Je n'avais pas pensé que les mères seraient là. Découvrir des adultes dans le public augmentait encore ma nervosité.

— Voilà donc notre jeune artiste, dit une voix de femme.

Me retournant, je vis une maman qui me souriait. Elle tenait par la main une ravissante petite fille aux yeux bleus qui me dévisageait d'un regard candide.

— Je te présente Alicia, annonça la maman.

— Salut, répondis-je. Je m'appelle Chloé.

— Alicia aimerait faire la connaissance de ton pantin !

Je soulevai Diabolo dans mes bras, glissai ma main au creux de son dos.

— Voici Diabolo, dis-je à la fillette. Diabolo, je te présente Alicia.

— Comment vas-tu ? fis-je demander à Diabolo.

Sa mère se mit à rire. Alicia dévorait le pantin des yeux.

— Quel âge as-tu ? reprit Diabolo.

La fillette lui montra trois doigts.

— J'ai trois ans !

— Voudrais-tu lui serrer la main ? proposai-je.

Elle hocha la tête.

J'inclinai un peu le pantin, poussai sa main droite en avant.

— Vas-y. Prends-lui la main.

Alicia saisit la main de Diabolo dans sa petite menotte et la serra timidement.

— Joyeux anniversaire, chantonna Diabolo.

— Il nous tarde de voir ton numéro, me confia la maman. Je suis certaine que les enfants vont l'adorer.

– Je l'espère !

Mon estomac se noua de nouveau. J'étais vraiment nerveuse.

– Lâche-moi ! s'écria soudain Alicia en riant.

Elle tirait sur la main de Diabolo.

– Il ne veut pas me laisser partir !

La mère, amusée, prit sa fille par le bras.

– Quel drôle de pantin, ma chérie ! Laisse-le, maintenant. Nous devons aller nous asseoir pour regarder le spectacle.

Alicia tenta de se dégager et gloussa de plus belle.

– Mais il ne veut pas que je m'en aille, Maman !

Elle tira brutalement en arrière. Sa petite main restait prisonnière de la main de Diabolo.

– Oh, regarde, dit sa mère en jetant un coup d'œil vers la porte d'entrée. Phoebé et Jennifer viennent d'arriver. Allons leur dire bonjour.

Alicia essaya de suivre sa mère, mais Diabolo la retenait solidement. Le sourire de la petite fille s'évanouit.

– Mais lâche-moi ! cria-t-elle.

Je vis que plusieurs enfants s'étaient rassemblés autour de nous, observant la scène.

– Lâche-moi ! Lâche-moi ! répétait Alicia en colère.

Je me penchai pour examiner la main de Diabolo. À mon étonnement, les doigts semblaient s'être refermés comme des serres autour de ceux de la fillette.

– Aïe ! s'écria celle-ci. Maman, il me fait mal !

D'autres enfants approchèrent. Certains échangeaient des regards apeurés.

La panique me figea. La main de Diabolo, normalement, ne se refermait pas. Il pouvait bouger les doigts, sans plus.

La mère d'Alicia me regardait. Une vive contrariété se lisait sur son visage.

– Libère ma fille, s'il te plaît, ordonna-t-elle avec impatience.

– Il me fait mal ! cria Alicia. Aïe ! Il m'écrase les doigts !

La pièce devint très silencieuse. Tous les enfants s'étaient rassemblés autour de nous, attentifs, déconcertés. Affolée, je fis une vaine tentative pour transformer l'incident en plaisanterie.

– Tu vois que Diabolo t'aime bien, dis-je à Alicia C'est pour ça qu'il refuse de te laisser partir !

Mais la petite fille sanglotait à présent.

– Maman, dis-lui d'arrêter !

Je saisis la main de bois de Diabolo et tentai d'écarter ses doigts. Impossible.

– Lâche-la, Diabolo ! articulai-je entre mes dents.

– Mais enfin, que se passe-t-il ? s'étonna la mère d'Alicia. La main du pantin est coincée ? Qu'as-tu fait à ma fille ?

– J'ai mal ! se plaignait Alicia.

Plusieurs enfants se mirent à pleurer. Leurs mères accoururent les consoler. Les sanglots d'Alicia s'élevaient au-dessus d'un concert de gémissements et de protestations.

– Lâche-la, Diabolo ! hurlai-je en tirant sur les doigts du pantin. Lâche-la ! Mais lâche-la donc !

Alors, Diabolo rejeta brusquement la tête en arrière, les yeux étincelants, et il éclata d'un grand rire démoniaque.

Tandis que résonnait son rire affreux, Diabolo libéra enfin la fillette.

Alicia ne pouvait s'arrêter de pleurer. Elle avait eu si peur ! Et sa petite main était rouge et enflée. Les autres bambins pleuraient et criaient aussi.

La maman d'Alicia, furieuse, appela le père de Margot qui sortit des cuisines. Elle bégayait de colère et menaçait d'intenter un procès à « La Nouba ».

Le père de Margot me demanda calmement de partir. Il me reconduisit vers la sortie en précisant toutefois qu'il ne m'en voulait pas, que ce n'était pas ma faute ; à présent, les enfants avaient trop peur de Diabolo, et il valait mieux annuler mon numéro.

Je vis Margot se précipiter vers moi. Je me détournai et m'enfuis.

Je n'avais jamais été aussi bouleversée. Je ne savais que faire. Une pluie persistante mouillait la chaussée. Je regardai l'eau s'écouler le long du trottoir et disparaître dans l'égout. J'avais envie de disparaître avec elle.

Je pris l'autobus jusqu'à la station la plus proche de chez moi et courus à perdre haleine tout le reste du chemin, Diabolo pendouillant sur mon épaule. Je m'engouffrai dans la maison et laissai la porte claquer derrière moi.

– Chloé? Comment ça s'est passé? cria Maman depuis la cuisine. Quelqu'un t'a raccompagnée en voiture? Je croyais que nous devions aller te chercher?

Je ne lui répondis pas. Je sanglotais trop fort. Je courus m'enfermer dans ma chambre.

Je saisis Diabolo et le lançai dans le placard. Je ne voulais plus le revoir. Jamais plus.

Je me jetai sur mon lit. Je revoyais sans cesse la pauvre petite Alicia se débattant pour échapper à Diabolo, j'entendais ses cris déchirants.

Maman frappa à la porte.

– Chloé? Chloé, qu'est-ce que tu as?

– Va-t'en! hoquetai-je. Laisse-moi seule, s'il te plaît.

Mais elle entra dans la pièce. Sara arriva derrière elle, l'air perplexe.

– Chloé, la représentation a mal tourné? demanda doucement Maman.

– Allez-vous-en! sanglotai-je. Je vous en prie!

– Voyons, Chloé, tu feras mieux la prochaine fois, dit Sara en s'approchant de mon lit.

Elle posa la main sur mon épaule.

– Tais-toi! criai-je. Va-t'en, Miss Perfection!

Je ne me contrôlais plus. Sara recula, blessée.

– Dis-nous ce qui s'est passé, insista Maman. Tu te sentiras mieux après, je t'assure.

Je parvins à me maîtriser et m'assis au bord du lit. Le récit de mes malheurs sortit de moi d'une seule traite.

Je racontai comment Diabolo avait agrippé la main d'Alicia et refusé de la lâcher. Je racontai les cris affolés des enfants, les pleurs, les protestations des parents. Et comment j'avais dû m'enfuir, telle une voleuse, sans exécuter mon numéro.

Puis je me jetai dans les bras de ma mère et me remis à sangloter.

Elle me caressa les cheveux, ainsi qu'elle le faisait quand j'étais petite. Elle n'arrêtait pas de murmurer : « Chut... chut... chut... »

Petit à petit, je me calmai.

– Tout ça est tellement curieux, observa Sara en secouant la tête.

– Tes réactions m'inquiètent, tu sais, dit Maman. La petite fille s'est coincé la main, voilà tout. Tu n'imagines tout de même pas que ton pantin l'a retenue ? Elle scrutait mon visage avec attention.

« Elle pense que je suis folle, que j'ai l'esprit complètement dérangé, me dis-je. Elle ne me croit pas. Inutile d'insister. »

– Oui, marmonnai-je en baissant les yeux sur le plancher. Elle a dû se coincer la main.

– Peut-être que tu devrais mettre Diabolo de côté pendant un certain temps, proposa Maman.

71

Je montrai du doigt le placard de ma chambre.

— Il est déjà là-dedans.

— Bonne idée, approuva-t-elle. Oublie-le pendant quelques jours, d'accord ?

— Je ne veux même plus le revoir !

Il me sembla qu'un soupir montait du placard. Mais bien sûr, c'était mon imagination.

— Va te rafraîchir un peu, suggéra Maman. Lave-toi la figure et rejoins-moi ensuite dans la cuisine. Je vais te préparer un petit goûter.

— D'accord.

Sara, qui ne disait mot, suivit Maman hors de la pièce et je l'entendis murmurer :

— Décidément, Chloé devient de plus en plus bizarre.

Margot me téléphona après dîner. Elle se déclara sincèrement désolée de ce qui venait de m'arriver et me répéta que son père ne me reprochait rien.

— Papa veut te donner une autre chance, ajouta-t-elle. Peut-être avec des enfants plus âgés.

— Merci, répondis-je, mais j'ai mis Diabolo au placard pour quelque temps. Je ne sais pas si j'ai encore envie de devenir ventriloque.

— Chloé, que s'est-il passé au juste ? demanda Margot. Qu'est-ce qui n'a pas bien fonctionné ?

— Je ne sais pas, avouai-je. Je n'en sais vraiment rien.

Ce soir-là, je me couchai de bonne heure. Au moment d'éteindre la lumière, mon regard effleura la porte close du placard. Savoir Diabolo enfermé là-dedans me rassurait.

Je m'endormis vite.

En m'éveillant le lendemain matin, je m'assis dans mon lit et me frottai les yeux.

Puis j'entendis les cris furieux de Sara retentir au fond du couloir.

– Maman ! Papa ! Maman ! Dépêchez-vous ! hurlait-elle. Venez voir ce que Chloé a encore fait !

« Allons bon ! me dis-je. Que va-t-on me reprocher, cette fois ? »

Puis je remarquai que la porte de mon placard était légèrement entrouverte.

Le cœur battant, je sortis du lit et courus vers la chambre de ma sœur. Mes parents et John étaient déjà sur le seuil.

– Maman ! Papa ! braillait Sara. Regardez !

J'entendis Maman s'exclamer :

– Oh, non !

En arrivant à mon tour, je jetai un coup d'œil dans la chambre, et mes yeux s'agrandirent de stupeur.

Les murs étaient barbouillés de peinture rouge !

Quelqu'un avait écrit partout CHLOÉ CHLOÉ CHLOÉ CHLOÉ en gigantesques lettres rouges.

Je parcourus toute la pièce d'un regard incrédule. Pourquoi mon nom ?

CHLOÉ CHLOÉ CHLOÉ CHLOÉ.

J'eus soudain envie de vomir. Repoussant ma nausée, je fermai un instant les yeux pour ne plus voir les affreux graffitis rouges.

CHLOÉ CHLOÉ CHLOÉ CHLOÉ.

– Pourquoi ? me demanda Sara d'une voix tremblante. Pourquoi, Chloé ?

Elle rajusta sa chemise de nuit et me dévisagea, attendant ma réponse. Je m'aperçus tout à coup que tout le monde en faisait autant.

– Je... je... je... bredouillai-je, hébétée.

– Chloé, ça ne peut pas continuer, dit gravement Papa.

Son visage n'exprimait pas la colère, mais la tristesse.

– Nous allons consulter quelqu'un qui pourra t'aider, ma chérie, intervint Maman.

Elle avait les yeux pleins de larmes.

John restait silencieux et attentif, les bras croisés sur sa veste de pyjama.

– Pourquoi, Chloé ? répéta Sara.

– Mais... ce n'est pas moi ! articulai-je enfin.

– Chloé, pas d'histoires à dormir debout ! avertit Maman.

– Maman, je te jure que je n'ai pas fait ça !

– Ça devient sérieux, murmura Papa en se caressant le menton. Est-ce que tu t'en rends compte, Chloé ?

John tendit deux doigts et les passa sur une des inscriptions à la peinture rouge.

– C'est sec, annonça-t-il.

– Ça signifie que le coupable a agi pendant la nuit, reprit Papa, les yeux fixés sur moi.

Je respirai profondément et lâchai tout à trac :

– C'est Diabolo, le coupable ! C'est lui ! Il faut me croire, Papa ! Je ne suis pas folle !

– Chloé, je t'en prie, soupira Maman.

– Venez avec moi ! m'écriai-je. Je vais vous le prouver !

Je tournai les talons et m'élançai dans le couloir. Ils se précipitèrent derrière moi.

– Est-ce que Chloé est très malade ? demanda John.

Je n'entendis pas la réponse.

Je fis irruption dans ma chambre, me dirigeai vers le placard et ouvris la porte en grand.

– Vous voyez ? m'écriai-je en montrant Diabolo du doigt. La voilà, votre preuve ! C'est Diabolo qui a fait ça !

Le pantin était assis par terre dans le placard, jambes croisées. Sa tête se dressait, bien droite, sur ses épaules étroites. Il semblait nous sourire. Sa main gauche touchait le sol. Sa main droite reposait sur ses genoux. Et dans cette main droite, il serrait un gros pinceau.

Un pinceau enduit de peinture rouge séchée.

– Je vous l'avais dit ! répétai-je triomphalement tout en reculant pour que les autres puissent mieux voir.

Mais tout le monde resta silencieux. Maman et Papa froncèrent les sourcils et secouèrent la tête.

Le rire de John rompit le silence.

– Quelle blague ! souffla-t-il à Sara.

Sara baissa les yeux et ne répondit pas.

– Oh, Chloé, soupira Maman. Croyais-tu vraiment que tu pourrais faire accuser le pantin en lui mettant ce pinceau dans la main ?

– Hein ? m'étranglai-je. Je n'ai même pas touché à ce pinceau !

– Non, bien sûr ! se moqua John. Et quand est-ce que Diabolo a appris à écrire ?

– Tais-toi, John, dit Papa sèchement. Ce n'est pas un jeu.

– Sara, fais sortir John, ordonna Maman. Allez tous les deux dans la cuisine, et commencez à préparer le petit déjeuner.

Sara voulut emmener John vers la sortie. Il la repoussa.

– Je veux rester ! cria-t-il. Je veux voir comment vous allez punir Chloé !

– Dehors ! tonna Maman en lui montrant la porte.

Sara l'entraîna hors de la pièce.

Je me mis à trembler. Mes yeux se posèrent sur Diabolo. Son sourire ne s'était-il pas accentué ? Le pinceau maculé de rouge dans sa main dansa devant mes yeux, devint un brouillard rouge.

Je me tournai vers mes parents.

– Vous ne me croyez toujours pas ? demandai-je d'une voix éteinte.

– Certainement pas, répondit Maman.

– Nous ne pouvons pas croire qu'un pantin de bois a accompli cet horrible méfait dans la chambre de Sara, ajouta Papa. Pourquoi ne pas nous dire la vérité, Chloé ?

– C'est ce que je fais ! protestai-je.

Avec un cri d'impuissance, je refermai violemment la porte du placard.

– Essayons de nous calmer, suggéra Maman. Allons tous nous habiller et prendre notre petit déjeuner.

Nous reparlerons de tout ça ensuite calmement.

– Bonne idée, approuva Papa.

Il m'examina un instant à travers ses lunettes comme s'il ne m'avait jamais vue auparavant. Puis il gratta son crâne dégarni et soupira :

– Je vais devoir contacter un peintre pour la chambre de Sara. Il faudra au moins deux bonnes couches de peinture pour faire disparaître tout ce rouge.

Ils tournèrent les talons et s'éloignèrent en débattant de ce que leur coûterait l'opération.

Je restai au milieu de la pièce et fermai les yeux. Les murs de la chambre de Sara surgirent derrière mes paupières closes.

CHLOÉ CHLOÉ CHLOÉ CHLOÉ.

– Mais je suis innocente ! m'exclamai-je.

Saisie d'une détermination soudaine, j'allai rouvrir la porte du placard.

J'empoignai Diabolo par les épaules de sa veste grise et le soulevai du sol. Le pinceau lui tomba de la main. Il atterrit près de mon pied nu avec un bruit sourd.

Je secouai furieusement le pantin. Le secouai si fort que ses bras et ses jambes se balançaient en tous sens, et que sa tête oscillait d'avant en arrière.

Puis je le regardai droit dans les yeux.

– Avoue ! criai-je à sa face souriante. Vas-y ! Admets que tu l'as fait ! Dis-moi que c'est toi qui l'as fait !

Ses yeux bleus me rendirent froidement mon regard.

Un court instant, aucun de nous ne bougea.

Et puis, à mon horreur, les lèvres de bois s'écartèrent. Sa bouche s'ouvrit lentement, et Diabolo émit un long ricanement.

« Hi hi hi hi. »

– Je ne peux pas venir, dis-je à Margot avec accablement. Mes parents m'interdisent de quitter ma chambre toute la journée.

J'étais étalée sur mon lit, le téléphone collé à l'oreille.

– Pourquoi ? voulut savoir Margot.

Je poussai un soupir.

– Si je te le disais, ma vieille, tu ne me croirais pas.

– Essaie toujours, répliqua-t-elle.

Je décidai de ne pas lui confier mes malheurs. Toute ma famille me croyait folle. Je ne tenais pas à ce que ma meilleure amie le pense aussi.

– Je te raconterai peut-être quand je te verrai.

Silence à l'autre bout de la ligne. Puis Margot proféra un « oh, ouaouh ».

– Ouaouh ? Qu'est-ce que ce « ouaouh » veut dire ? m'écriai-je.

– Ouaouh. Si tu ne peux pas en parler, c'est que tu dois être dans une drôle de situation, Chloé.

– Heu... une situation bizarre, en effet, bredouillai-je. Peut-on changer de sujet?

Un autre silence.

– Papa a bientôt un goûter d'anniversaire pour des enfants de six ans, Chloé. Et il se demandait si...

– Non, désolée, interrompis-je vivement. J'ai mis Diabolo de côté.

– Pardon? s'étonna Margot.

– J'ai rangé le pantin dans un placard, aux oubliettes. Je ne veux plus être ventriloque. C'est fini, tout ça.

– Mais, Chloé, tu adorais jouer avec ces pantins! Et tu voulais gagner un peu d'argent, tu te souviens? Alors Papa...

– Non, répétai-je fermement. J'ai changé d'avis. Margot. Dis à ton père que je regrette. Je... je t'expliquerai quand je te verrai.

J'avalai ma salive et ajoutai:

– Si jamais je te revois.

– Tu n'as vraiment pas l'air dans ton assiette, observa Margot d'une voix douce. Veux-tu que je vienne chez toi?

– Je suis punie, Margot, répondis-je amèrement. Pas de visiteurs.

J'entendis des pas dans le couloir. Sans doute Maman ou Papa venant vérifier ce que je faisais. Je n'avais pas non plus la permission de me servir du téléphone.

– Il faut que je raccroche, chuchotai-je. Au revoir, Margot.

Je reposai le combiné.

Maman frappa à la porte de ma chambre. Je reconnais sa façon de frapper.

– Chloé, tu veux qu'on parle? demanda-t-elle.

– Pas vraiment, répondis-je d'un ton renfrogné.

– Dès que tu diras la vérité, tu pourras sortir, déclara Maman.

– Je sais, je sais...

– Alors, qu'attends-tu? C'est une si belle journée! Tu ne vas pas la passer dans ta chambre, tout de même?

– Je n'ai pas envie de discuter pour le moment, rétorquai-je.

Elle n'insista pas, mais je la devinai un instant hésitante, derrière la porte. Finalement, elle s'éloigna.

J'empoignai mon oreiller et y enfouis mon visage. Je voulais effacer le monde qui m'entourait. Et réfléchir. Réfléchir. Réfléchir.

Je n'allais évidemment pas avouer un crime que je n'avais pas commis. Jamais de la vie.

Je trouverais un moyen de prouver la culpabilité de Diabolo. Un moyen de prouver que je n'étais pas folle.

Je devais leur démontrer qu'il ne s'agissait pas d'un pantin ordinaire. Qu'il était vivant. Qu'il était maléfique.

Mais comment m'y prendre?

Par la fenêtre, je vis John et deux amis qui faisaient du skateboard sur le trottoir en riant. Ils se payaient du bon temps, alors que moi, j'étais prisonnière. Prisonnière dans ma propre chambre.

Tout ça à cause de Diabolo.

Je me détournai de la fenêtre et fixai le placard. J'avais rejeté Diabolo tout au fond et bien fermé la porte.

« Je vais te prendre la main dans le sac, Diabolo, pensai-je. C'est comme ça que je prouverai que je ne suis pas folle. Je resterai éveillée toutes les nuits. Et la première fois que tu te glisseras sournoisement hors de ce placard, je serai là, à t'attendre. Et je te suivrai. Je m'arrangerai pour que tout le monde voie ce que tu fais. Tout le monde saura enfin que le vrai coupable dans cette maison, le démon, c'est toi. »

J'étais si contrariée que je n'avais pas vraiment les idées claires. Mais le fait d'avoir conçu un plan me remontait un peu le moral.

Jetant un dernier regard sur la porte du placard, j'allai m'asseoir à mon bureau pour faire mes devoirs.

Maman et Papa me laissèrent sortir pour le dîner. Papa avait fait griller des hamburgers dans le jardin, le premier barbecue du printemps. J'adore les hamburgers grillés. Mais je sentais à peine le goût de la nourriture. J'étais sans doute trop excitée à l'idée de piéger Diabolo.

Personne ne m'adressa la parole. Toutefois, on me surveillait du coin de l'œil, me donnant l'impression que j'étais une espèce d'animal dans un zoo. Je demandai la permission de me lever de table avant le dessert.

D'ordinaire, je reste debout jusqu'à dix heures du soir. Mais peu après neuf heures, je résolus de me mettre au lit. J'étais bien éveillée, et impatiente de prendre Diabolo au piège.

J'éteignis la lumière et me glissai sous le drap. Puis, étendue sur le dos, j'attendais en contemplant les ombres mouvantes qui dansaient sur le plafond de ma chambre. J'attendais que Diabolo émerge du placard.

Mais je dus m'assoupir. J'avais lutté en vain pour ne pas le faire, et sombré dans le sommeil malgré ma détermination.

Un léger bruit me réveilla en sursaut. Je m'assis, instantanément aux aguets.

J'entendis un bruit de pas sur la moquette, un doux frottement.

La peur me donnait la chair de poule. Un autre bruit étouffé, tout près de mon lit me fit frissonner. Je tendis vivement le bras, allumai la lampe de chevet.

Et je poussai un cri de surprise.

– John ! Où vas-tu comme ça ? m'exclamai-je.

Il se tenait au milieu de ma chambre, en pyjama, les cheveux ébouriffés. Il était encore engourdi de sommeil.

Il me regarda, l'air surpris, en fronçant les sourcils.

– Tu m'as appelé, Chloé.

– Je... quoi ?

– Tu m'as appelé. Je t'ai entendue.

Il se frotta les yeux et bâilla.

– J'étais endormi. Tu m'as réveillé.

Je me levai, les jambes tremblantes. Il m'avait fait très peur.

– Je dormais aussi, John. Je ne t'ai pas appelé.

– Mais si ! affirma-t-il. Tu m'as dit de venir dans ta chambre.

– John, tu viens juste de me réveiller. Comment aurais-je pu t'appeler ?

Il se gratta les cheveux et bâilla de nouveau.

– Tu veux dire que j'ai rêvé ?

Je scrutai son visage.

– John, tu voulais me jouer un tour, n'est-ce pas ? Tu t'apprêtais à sortir Diabolo du placard ?

J'avais parlé durement, et le ton de ma voix le fit reculer.

– Jamais de la vie ! protesta-t-il. J'ai cru que tu m'appelais, Chloé. Je te le jure.

Je parcourus la chambre du regard. Tout semblait normal. Totoche gisait sur le fauteuil, sa tête sur les genoux.

La porte du placard était fermée.

– C'était un rêve, voilà tout, répéta John. Bonne nuit, Chloé.

– Désolée, John. Dors bien.

Je l'entendis regagner sa chambre en trottinant.

Le chat passa la tête dans l'entrebâillement de la porte. Ses yeux luisaient d'un éclat doré.

– Va dormir, Georges, chuchotai-je.

Il tourna docilement les talons et disparut.

J'éteignis la lampe de chevet et me recouchai.

« John dit la vérité, pensai-je. Il semblait aussi déconcerté que moi... »

Mes paupières devinrent lourdes. J'avais tellement sommeil, et l'oreiller était si doux et accueillant.

Mais il ne fallait pas que je me rendorme. Je devais rester éveillée. Je devais attendre que Diabolo se manifeste.

Un déclic sonore me fit ouvrir les yeux tout grands.

Je levai la tête juste à temps pour voir le placard s'entrouvrir.

La pièce baignait dans l'obscurité. Aucun rayon de lumière ne traversait la fenêtre. La porte du placard n'était qu'une ombre noire qui bougeait lentement. Mon cœur se mit à battre. Ma bouche devint sèche, pâteuse.

Le placard acheva de s'ouvrir avec un craquement. Une petite silhouette surgit, fit un pas en avant. Je la fixai avec attention. J'étais pétrifiée.

Diabolo ! C'était bien lui !

Il se dirigea vers la porte de ma chambre. Même dans le noir, je pouvais voir se balancer sa grosse tête ronde et ses mains pendantes. Il titubait sur ses jambes frêles.

Il ressemblait à un épouvantail en marche. J'étais saisie d'horreur.

J'attendis qu'il se soit glissé dans le couloir pour bondir hors de mon lit. Puis, retenant ma respiration, je le suivis sur la pointe des pieds.

Une fois dehors, j'hésitai un instant. Maman garde toujours une petite veilleuse allumée toute la nuit à l'autre bout du couloir. Dans sa lueur diffuse, je vis Diabolo avancer vers la chambre de Sara de sa démarche saccadée.

Il m'aurait suffi de crier pour que mes parents surgissent de leur chambre et surprennent le pantin. Mais je me retins. Ma curiosité était la plus forte. Je voulais d'abord découvrir ce que Diabolo avait l'intention de faire.

Je le suivis silencieusement.

Le plancher craqua sous mes pas. Je n'eus que le temps de me coller contre le mur et de me fondre dans l'obscurité avant que Diabolo ne se retourne. M'avait-il repérée ? Mon cœur cessa de battre. Je fermai les yeux et j'attendis.

Rien. Silence.

Quand j'osai regarder à nouveau, le couloir était vide.

«Il est dans la chambre de Sara, me dis-je. Il fait quelque chose de terrible dans la chambre de Sara. Quelque chose dont on m'accusera. Pas cette fois, Diabolo! Cette fois, tu vas te faire prendre.»

Collée au mur, je progressai le long du couloir et m'arrêtai devant la chambre de ma sœur.

La veilleuse, fixée juste en face de sa porte, y projetait son pâle rayonnement.

Risquant un coup d'œil à l'intérieur, je distinguai confusément la fresque murale que Sara avait commencé à peindre. Une scène de plage. L'océan. Une vaste grève de sable jaune. Des cerfs-volants se déplaçant dans le ciel. Des enfants bâtissant un château de sable au premier plan. La toile couvrait presque tout un pan de mur.

Où était Diabolo? J'avançai d'un pas dans la chambre et je le vis.

Penché sur la table de travail de Sara, il cherchait quelque chose parmi ses fournitures. Sa main de bois saisit un pinceau. Il l'examina, le promena de haut en bas comme s'il prétendait peindre l'air.

Diabolo trempa le pinceau dans un pot de peinture et s'approcha de la fresque. Là, il resta un moment sans bouger, admirant l'œuvre de Sara.

Puis il brandit le pinceau en direction de la toile.

Je me jetai sur lui et lui arrachai le pinceau des mains. Je l'empoignai par la taille, le tirai en arrière. Le pantin se débattit, gigota furieusement, tenta de m'assener des coups de pied, des coups de poing.

– Hé! cria une voix effrayée.

La lumière jaillit.

Diabolo devint subitement inerte dans mes bras. Sa tête tomba en avant. Ses bras et ses jambes pendaient vers le plancher.

Assise sur son lit, Sara me regardait d'un air horrifié, bouche bée.

Ses yeux se posèrent sur le pinceau que je tenais encore.

– Chloé, qu'est-ce que tu fais ? balbutia-t-elle.

Puis, sans attendre ma réponse, Sara se mit à hurler :

– Maman ! Papa ! Venez vite ! Elle recommence !

Papa arriva le premier au pas de course.

– Qu'y a-t-il ? Qu'est-ce qui se passe encore ?

Maman suivait derrière, à moitié endormie.

– Je... j'ai enlevé ça à Diabolo, bégayai-je en montrant le pinceau. Il allait saccager la fresque de Sara.

Ils regardèrent le pinceau dans ma main.

– J'ai entendu Diabolo sortir du placard, expliquai-je, hors d'haleine. Je l'ai suivi jusqu'ici. Je lui ai sauté dessus juste avant... avant qu'il fasse quelque chose de terrible !

Je me tournai vers Sara, toujours assise dans son lit.

– Tu as vu Diabolo, n'est-ce pas ? Tu l'as vu ?

– Ouais, répondit-elle. J'ai vu Diabolo. Je le vois encore. Tu l'as sur le bras.

Le pantin était replié sur mon avant-bras, sa tête touchant presque le sol.

– Non ! criai-je à Sara. Tu sais bien ce que je veux dire ! Tu l'as vu entrer dans ta chambre, pas vrai ? C'est pour ça que tu as allumé la lumière.

Elle leva les yeux au ciel.

– Je t'ai vue, toi, entrer dans ma chambre, répondit-elle. Le pantin dans une main et le pinceau dans l'autre.

– Mais... mais... mais...

Mon regard croisa celui de mes parents. Ils me dévisageaient comme si je venais de me poser sur terre à bord d'une soucoupe volante.

« Personne ne me croira, pensai-je amèrement. Personne. »

Le lendemain matin, en descendant prendre mon petit déjeuner, je vis Maman raccrocher le téléphone.

– Tu as mis un short pour aller à l'école ? s'étonna-t-elle en découvrant ma tenue.

Je portais un short vert olive et un débardeur rouge.

– La radio annonce qu'il va faire chaud, répondis-je.

John et Sara étaient déjà attablés devant un bol de céréales. Ils levèrent un instant les yeux sur moi, mais aucun d'eux ne dit mot.

Je me versai un jus de pamplemousse.

– À qui parlais-tu au téléphone ? demandai-je à Maman tout en sirotant mon jus de fruit.

– Heu... à la secrétaire du Dr Palmer, avoua-t-elle, mal à l'aise.

– Le Dr Palmer ? Le psychiatre ?

Maman hocha la tête.

– J'ai essayé d'obtenir un rendez-vous pour toi aujourd'hui. Hélas, il ne pourra pas te recevoir avant mercredi.

– Mais Maman...! protestai-je.

Elle mit un doigt sur sa bouche.

– Chut. Pas de discussion, Chloé. Tu peux lui parler au moins une fois! Qui sait, ça te fera peut-être du bien.

– Ouais, bien sûr, marmonnai-je.

Je me tournai vers Sara et John. Ils gardaient les yeux fixés sur leur bol de céréales.

Avec un soupir, j'allai déposer mon verre dans l'évier.

Je savais ce que ça signifiait. Ça signifiait que j'avais jusqu'à mercredi pour prouver à ma famille que je n'étais pas complètement folle.

Ce soir-là, j'eus du mal à me concentrer sur mes devoirs. Je n'arrêtais pas de regarder le calendrier. Nous étions déjà lundi soir. Il me restait encore deux nuits pour prouver que c'était bien Diabolo qui accomplissait tous les terribles méfaits dont on m'accusait.

Je refermai mon livre d'histoire. Impossible d'apprendre quoi que ce soit, les mots dansaient devant mes yeux. Je me mis à tourner dans la pièce en réfléchissant comme une forcenée. Sans résultat. Que pouvais-je faire? Un cri de colère et de frustration m'échappa.

Puis une idée me vint. Pourquoi ne pas me débarrasser tout simplement de Diabolo? Il suffisait d'aller le jeter dans une benne à ordures pour mettre fin à tous mes problèmes.

L'idée me plut. Je me demandai d'ailleurs pourquoi je n'y avais pas songé plus tôt.

Je me dirigeai résolument vers le placard – et me figeai sur place en voyant la poignée de la porte tourner sur elle-même.

Sous mes yeux horrifiés, la porte s'ouvrit. Diabolo s'avança de sa démarche mécanique et se posta devant moi.

– Chloé, dit-il avec un grand sourire diabolique, il est temps pour nous d'avoir une petite conversation.

– Désormais, Chloé, tu seras mon esclave, annonça Diabolo.

Sa voix rauque me donna le frisson. Abasourdie, ne sachant que répondre, je me contentais d'observer son regard bleu glacé, son rictus rouge.

– Tu as lu à voix haute la formule mystérieuse qui me donne la vie, reprit le pantin. Tu t'en souviens ? C'est pourquoi maintenant, tu dois me servir. Tu feras tout ce que je te demanderai.

– Non !

– Mais si, Chloé ! cria-t-il en hochant sa tête de bois. Tu es mon esclave, Chloé ! Mon esclave pour toujours !

– Jamais je ne t'obéirai ! Tu ne pourras pas me forcer à...

Plus un son ne sortit de ma bouche. Je tremblais de peur devant cet objet en bois qui vivait. Je sentis soudain mes genoux fléchir, et je faillis m'effondrer.

Diabolo me retint par le poignet. Ses doigts m'enserraient comme dans un étau.

– Tu feras ce que je te dirai, répéta-t-il. Autrement...

– Autrement quoi? ripostai-je. Veux-tu me lâcher! Je me débattis pour dégager mon bras. Mais son étreinte était trop puissante. ·

– Autrement, je détruirai la fresque de ta sœur, chuchota Diabolo.

Son rictus peint s'accentua. Ses yeux me transperçaient.

– Ça, je m'en moque! Tu crois vraiment que je vais devenir ton esclave pour t'empêcher d'abîmer sa peinture? Tu as déjà saccagé toute sa chambre, alors...

– Je continuerai à détruire des choses, chuchota Diabolo. Des choses qui appartiennent à ton frère, par exemple. Et on t'accusera. On t'accusera de tout, Chloé.

– Lâche-moi! criai-je en me débattant une fois de plus.

Il serra mon bras encore plus fort.

– Tes parents sont déjà inquiets pour toi, n'est-ce pas, Chloé? Ils pensent que tu as l'esprit dérangé...

– Tais-toi, l'implorai-je.

– Que crois-tu qu'ils feront quand tu commenceras à casser tout ce qu'il y a dans la maison? poursuivit-il impitoyablement. Ils te chasseront. Ils t'enfermeront dans un asile et tu ne les verras plus... sauf les jours de visite!

Il rejeta la tête en arrière et éclata d'un rire méchant.

Un sourd gémissement s'échappa de ma gorge. Tout mon corps tremblait de terreur.

Diabolo m'attira contre lui.

– Tu seras une excellente esclave, me souffla-t-il à l'oreille. Nous allons passer de bonnes années ensemble, toi et moi. Tu me consacreras ta vie.

– Non, je ne veux pas ! hurlai-je en levant vivement le bras dans un ultime effort pour me libérer.

Mon brusque mouvement souleva le pantin du sol et lui fit perdre l'équilibre. Avec un grognement de surprise, il fut contraint de me lâcher.

« Ce n'est qu'un pantin, me dis-je. Je peux le manipuler. Je peux le battre. »

Rapide comme l'éclair, je saisis son bras, me baissai, et le fis basculer par-dessus mon épaule. Il atterrit durement sur le ventre. Sa tête heurta le plancher avec bruit. Je me jetai sur lui, tentai de le clouer à terre avec mes genoux. Mais il se dégagea en frétillant comme une anguille et me balança son poing dans la figure.

Je voulus l'esquiver. Trop tard. Le poing me heurta en plein front. J'eus l'impression que ma tête explosait.

La douleur se répercuta dans tout mon corps. Portant mes deux mains à mes tempes, je m'écroulai sur le sol, assommée.

« Je peux le manipuler. Je peux le battre », me répétai-je.

Je relevai la tête en clignant des yeux. Je refusais de capituler. Je voyais trente-six chandelles, mais j'agrippai tout de même Diabolo par la taille pour le faire tomber.

Malgré la terrible douleur qui m'élançait le crâne, je le maintins collé au sol. Il se débattit sauvagement, tenta de m'envoyer un autre coup de poing. Mais j'appuyai mon genou contre son ventre et je parvins cette fois à immobiliser ses bras.

– Lâche-moi, esclave ! grinça-t-il. Lâche-moi, je l'ordonne !

Je tins bon.

Ses yeux roulaient frénétiquement d'un côté à l'autre. Ses mâchoires de bois s'ouvraient et se refermaient en cliquetant tandis qu'il se tortillait pour se libérer.

– Tu dois m'obéir, esclave ! Tu n'as pas le choix !

Je le retournai en lui ramenant les bras derrière le dos et me remis debout sans les lâcher. Il rua, me donna des coups de pied. Abandonnant ses bras, je le saisis par les jambes et le soulevai brusquement, la tête en bas. Une fois de plus, celle-ci heurta le plancher avec fracas. Cela ne sembla pas lui faire le moindre mal.

– Lâche-moi ! glapissait-il. Lâche-moi, esclave ! Tu me le paieras très cher !

Hors d'haleine, je le traînai jusqu'au placard et le jetai dedans. Il plongea prestement vers moi, tentant de s'enfuir.

Mais je lui claquai la porte au visage et tournai la clé. Avec soulagement, je m'adossai au placard et j'attendis de reprendre mon souffle.

– Laisse-moi sortir ! brailla Diabolo. Comment oses-tu m'enfermer là-dedans !

Il se mit à cogner contre la porte, me faisant sursauter. Ses coups de pied et coups de poing résonnaient à travers toute la pièce.

– Je briserai cette porte ! Tu peux en être sûre !

Il cognait de plus en plus fort. La porte commençait à céder.

« Il va réussir à s'échapper ! me dis-je. Que puis-je faire ? Que puis-je faire, maintenant ? »

Il me fallait de l'aide.

Je bondis dans le couloir pour hurler à mes parents de venir à mon secours.

Mais je me ravisai. Non. On pouvait compter sur Diabolo pour feindre d'être un pantin inerte dès qu'ils seraient là, un pantin écroulé au fond d'un placard. Ils se contenteraient de hocher la tête en me regardant comme une pauvre folle.

Je pensai à Sara. Peut-être que je pourrais la convaincre. Peut-être qu'elle m'écouterait.

Sa porte était ouverte. Je fis irruption dans sa chambre.

Elle était debout devant sa fresque, un pinceau à la main, ajoutant çà et là une petite touche de jaune au sable de la plage. Elle se retourna en m'entendant entrer, et son visage se durcit.

– Chloé ? Qu'est-ce que tu veux ?

– Je... Il faut que tu me croies ! bégayai-je. J'ai besoin de ton aide ! Je n'ai pas saccagé tes peintures, Sara. Ce n'était pas moi, je te le jure. C'était Diabolo. Crois-moi ! C'était lui !

– Je le sais bien, dit calmement ma sœur.

– Hein ? Qu'est-ce que tu viens de dire ?

Je la regardai avec stupeur. Sara posa son pinceau. Elle s'essuya les mains sur sa blouse grise.

– Je sais que c'était Diabolo, répéta-t-elle.

– Je... je... mais, Sara, tu... ?

Je suffoquais.

– Je suis désolée. Je suis tellement désolée ! s'écria-t-elle avec émotion.

Elle se précipita vers moi et me prit dans ses bras. J'avais encore du mal à assimiler ses paroles. Mon cerveau tourbillonnait. Je la repoussai.

– Tu étais au courant depuis le début ?

Sara hocha la tête.

– L'autre nuit, je me suis réveillée en entendant quelqu'un dans ma chambre. J'ai fait semblant de dormir, et j'ai vu Diabolo, avoua-t-elle en baissant les yeux. Je l'ai vu armé d'un pinceau dégoulinant de peinture rouge. Et je l'ai vu peindre CHLOÉ CHLOÉ CHLOÉ CHLOÉ sur les murs.

– Et tu ne l'as pas dit à Maman et Papa ? Tu as permis qu'on m'accuse, moi, alors que tu connaissais la vérité ?

Sara gardait les yeux baissés. Ses cheveux noirs me cachaient son visage.

– Je... je refusais d'admettre cette vérité, poursuivit-elle dans un sanglot. Je refusais d'admettre qu'un pantin pouvait marcher tout seul, qu'il pouvait être... vivant. J'avais trop peur, Chloé. J'ai préféré croire que tu étais l'auteur de ces horribles méfaits, je me suis dit que j'étais mal réveillée.

– Tu voulais surtout m'attirer des ennuis ! C'est pour ça que tu as menti.

Elle leva enfin la tête. De grosses larmes coulaient sur ses joues.

– Tu as raison, murmura-t-elle.

Elle s'essuya les yeux du revers de la main.

– Je... je suis jalouse de toi, ajouta-t-elle.

– Hein ?

Ma sœur me stupéfiait de nouveau. Je la dévisageai sans bien comprendre.

– Toi ? Jalouse de moi ?

Elle hocha la tête.

– Oui. Tu as une vie si facile. Tu es décontractée, tout le monde aime ton sens de l'humour. Ce n'est pas la même chose pour moi. Je dois peindre pour attirer l'attention des gens.

Ça c'était une sacrée surprise ! Sara, jalouse de moi ! Ne savait-elle pas combien j'étais jalouse d'elle ?

Une curieuse sensation m'étreignit soudain la poitrine. Mes yeux se remplirent de larmes. Une forte émotion déferla en moi comme une vague.

Je me précipitai vers Sara et la serrai dans mes bras à mon tour. Puis, pour quelque mystérieuse raison, je me mis à rire, et elle m'imita. Je ne saurais expliquer pourquoi. Nous étions là, au milieu de la pièce, à rire comme des idiotes.

C'est alors que la face peinte de Diabolo traversa ma mémoire. Je me rappelai avec un frisson pourquoi j'étais venue chercher ma sœur.

– Il faut que tu m'aides, lui dis-je. Tout de suite.

Devant mon air sérieux, Sara cessa de rire.

– T'aider à faire quoi?

– Nous devons nous débarrasser de Diabolo. Pour toujours.

– Mais... comment?

Je la pris par la main et l'entraînai dans le couloir.

– Suis-moi! Nous trouverons bien.

En entrant dans ma chambre, je ne pus retenir un cri. La porte du placard était en train de céder dans un dernier craquement.

Diabolo jaillit devant nous, le regard fou.

– Vous allez voir ce que vous allez voir! hurla-t-il. Diabolo a gagné!

– Attrapons-le ! lançai-je à ma sœur.

Je me jetai sur le pantin, mais il fit un bond de côté et m'évita. Ses yeux étincelaient d'excitation. Une grimace affreuse déformait sa bouche.

– N'insistez pas ! cria-t-il. Je suis plus fort que vous !

Sara recula vers la porte, terrorisée.

– Sara ! Qu'est-ce que tu attends ? Aide-moi !

Je me ruai de nouveau sur Diabolo afin de saisir sa cheville. Il se déroba en ricanant, courut vers la sortie et se cogna brutalement dans Sara.

Sara vacilla. Diabolo perdit l'équilibre.

J'en profitai pour lui empoigner les bras et les ramener derrière son dos, comme la première fois. Furieux, il se débattit, se tortilla, donna des coups de pied.

Passant soudain à l'action, Sara agrippa ses grosses chaussures de cuir. Tandis que le pantin continuait de se rebiffer en faisant claquer ses mâchoires de bois, je tordis ses bras et les emmêlai pour les empêcher de bouger. Sara en fit autant avec ses jambes.

Diabolo était à présent troussé comme un poulet. Il rejeta la tête en arrière et rugit d'impuissance. On ne voyait plus que le blanc de ses yeux révulsés.

– Lâchez-moi, esclaves ! Lâchez-moi tout de suite !

Je pris une poignée de mouchoirs en papier sur ma table de nuit et les fourrai dans sa bouche, étouffant ses protestations. Bientôt, il se tut.

– Ouf ! soupira Sara, hors d'haleine. Et maintenant, où va-t-on le mettre ?

Mes yeux parcoururent rapidement la pièce.

« Non, me dis-je. Pas question de le garder dans ma chambre. Ni même dans la maison. »

– Dehors, suggérai-je. Emportons-le dehors.

Sara jeta un coup d'œil sur mon réveil.

– Il est plus de onze heures. Et si Maman et Papa nous entendaient ?

– Tant pis !... Dépêchons-nous de le sortir d'ici. Je veux m'en débarrasser !

On transporta Diabolo dans le couloir. Sara tenait ses jambes nouées, moi ses bras. Le pantin avait cessé de se rebeller. Il ne remuait plus.

Il attendait sans doute de voir ce que nous allions faire de lui.

La porte de la chambre des parents était fermée. Tant mieux. Ils n'avaient pas entendu le bruit de notre lutte.

Après avoir traversé le salon obscur, notre cortège émergea par la porte d'entrée dans la nuit chaude. Un pâle croissant de lune était suspendu dans un ciel bleu-noir. Rien ne bougeait. Il n'y avait pas la moindre brise.

– On pourrait l'emporter loin d'ici sur nos bicyclettes, chuchota Sara.

– Il fait trop noir, objectai-je, et comment le transporter à deux ? Ce serait dangereux. Contentons-nous de marcher jusqu'au prochain pâté de maisons et de le jeter quelque part.

– Tu veux dire dans une poubelle ?

Je hochai la tête.

– C'est bien ce qu'il mérite ! Finir au milieu des ordures.

Fort heureusement, Diabolo ne pesait pas lourd. Le pâté de maisons voisin fut vite atteint. Au coin de la rue, je remarquai deux faisceaux de lumière venant dans notre direction. Des phares de voiture.

– Vite ! criai-je à Sara.

Nous nous glissâmes juste à temps derrière une haie. La voiture passa sans ralentir, et la lueur rouge de ses feux arrière disparut dans le noir.

– Hé ! Pourquoi pas là-dedans ? demanda tout à coup Sara.

Je regardai ce qu'elle me montrait d'un signe de tête : une rangée de grandes poubelles métalliques alignées sur le trottoir, de l'autre côté de la rue.

– Excellent, répondis-je. Jetons-le dans une de ces poubelles et fermons bien le couvercle. Les éboueurs nous en débarrasseront demain matin.

Nous allions traverser quand quelque chose me retint.

– Attends, Sara ! J'ai une meilleure idée.

Je l'entraînai quelques mètres plus loin et lui montrai une grille d'égout contre le trottoir.

– Dans l'égout ? s'étonna-t-elle

Je hochai la tête.

– Ce sera parfait.

À travers la grille étroite j'entendais couler de l'eau sous nos pieds, dans les profondeurs de la terre.

– Allons-y, Sara.

Diabolo ne bougeait pas, ne protestait pas.

À deux, la grille fut facile à déplacer. Je glissai la tête du pantin dans l'ouverture, puis Sara m'aida à y pousser son corps entier. J'entendis un léger «plouf !» quand il tomba dans l'eau la tête la première.

Ensuite, plus rien. L'eau reprit son doux ruissellement.

Nous échangeâmes un sourire, ma sœur et moi.

Je me dépêchai de rentrer à la maison, Sara sur mes talons. J'étais si heureuse que je sautillai tout le long du chemin.

Au moment de me remettre au lit, mon regard effleura la porte du placard. « Il faudra faire réparer la serrure », me dis-je en étouffant un bâillement.

J'éteignis la lumière et m'endormis paisiblement.

Le lendemain matin, je descendis d'un pied léger prendre mon petit déjeuner en même temps que Sara. Maman buvait une tasse de café. John mangeait ses corn flakes.

– Qu'est-ce qu'il fait là, celui-là ? me demanda-t-il
en me montrant quelque chose du doigt.
C'était Diabolo, assis sur une chaise en face de lui.

Je tressaillis. Sara était devenue blême.

– Oui, dit Maman, qu'est-ce que ce pantin fabrique dans la cuisine ? Je l'ai trouvé assis sur cette chaise en descendant ce matin. Et pourquoi est-il si sale ? Où l'as-tu emmené, Chloé ?

– Je... heu... il est tombé, bredouillai-je.

– Eh bien, remonte-le dans ta chambre ! Ne l'avais-tu pas rangé dans ton placard ?

– Heu... oui, Maman.

– Il faudra le nettoyer un peu ! À le voir, on croirait qu'il s'est roulé dans la boue !

– J'y vais tout de suite, Maman, répondis-je d'une voix éteinte.

Je soulevai Diabolo.

– Attends... balbutia Sara. Je t'accompagne !

– Pourquoi donc ? s'étonna Maman. Reste ici, Sara, et prends ton petit déjeuner. Vous allez vous mettre en retard toutes les deux.

Sara obéit docilement tandis que je m'éloignais.

J'étais presque parvenue à destination quand Diabolo leva brusquement la tête et me chuchota à l'oreille :

– Alors, esclave. Revoilà ton cauchemar ?

Je le balançai au fond du placard, claquai la porte et tournai la clé. Derrière cette porte, je l'entendis éclater de rire – d'un rire de fou qui me fit frissonner de la tête aux pieds.

« Que faire, maintenant ? me demandai-je, accablée. Que faire pour me débarrasser enfin de cette créature maudite ? »

La journée traîna en longueur. Je ne parvins pas à comprendre un seul mot de ce que disaient mes professeurs.

L'expression perverse et ricanante de Diabolo me hantait l'esprit. Sa voix rocailleuse grinçait à mes oreilles.

« Je ne serai pas ton esclave ! Je te chasserai de la maison – de ma vie – quoi qu'il puisse m'en coûter ! »

Cette nuit-là, je décidai de rester éveillée pour en finir une bonne fois. D'ailleurs, comment aurais-je pu dormir, avec un pantin malfaisant enfermé dans un placard, à quelques mètres de mon lit ?

Il faisait chaud. J'avais ouvert la fenêtre en grand, mais je ne sentais pas un souffle d'air. Malgré l'obscurité, je voyais des ombres bouger au plafond. Diabolo avait l'air de s'être calmé.

Un déclic, un grincement attirèrent mon regard en direction du placard. Scrutant l'obscurité, je vis Diabolo en sortir. Il hésita, se tourna vers mon lit. Je ne bougeai pas.

Avait-il l'intention de s'en prendre à moi ?

Non. Il se dirigea vers le couloir, dodelinant de la tête et des épaules.

Je compris qu'il se rendait dans la chambre de Sara. Il voulait se venger de ce que nous lui avions fait subir la veille.

Quel nouveau méfait allait-il commettre, cette fois ? Je sortis doucement du lit et le suivis.

Mes yeux s'habituèrent rapidement à la lueur jaunâtre de la veilleuse à l'autre bout du couloir. Aussi silencieux qu'une ombre, Diabolo s'approchait de la chambre de ma sœur.

Je lui emboîtai le pas, rasant le mur. Quand il se glissa dans la chambre, je me mis à courir.

J'arrivai sur le seuil juste à temps pour voir le pantin saisir un grand pinceau sur la table de travail de Sara. Il se dirigea vers la fresque murale.

Soudain une autre petite silhouette surgit dans l'ombre.

La lumière jaillit.

– Totoche ! m'exclamai-je.

– Reste où tu es ! m'ordonna Totoche d'une voix perçante.

Sara se dressa avec un cri d'effroi.

La stupéfaction figea le visage de Diabolo. Totoche se jeta sur lui, tête baissée, et lui donna un coup de tête dans l'estomac.

Diabolo laissa échapper un grand râle. Il tituba et tomba en arrière. Un choc sonore retentit à travers la pièce. Sa tête de bois avait heurté si violemment le montant en fer forgé du lit de Sara qu'elle vola en éclats.

Le corps du pantin s'effondra en tas sur le sol.

Le cœur battant, la respiration saccadée, je fis quelques pas en avant. Totoche me bouscula au passage et s'enfuit dans le couloir.

Mes yeux ne pouvaient se détacher des morceaux de la tête de Diabolo. Sara me rejoignit, toute pâle d'émotion.

Au même instant, la porte de la penderie de sa chambre s'ouvrit et Maman et Papa en émergèrent.

– Ça va, les filles ? demanda Papa.

Sara hocha la tête.

– Nous avons tout vu ! s'écria Maman.

Elle me serra dans ses bras.

– Chloé, je suis si confuse ! Nous aurions dû te croire, malgré l'invraisemblance de cette histoire. Si tu savais comme je regrette !

– Mais maintenant, nous te croyons, affirma Papa en observant le corps désarticulé du pantin qui gisait sur la moquette.

Nous avions tout organisé, Sara et moi, avant le dîner.

Sara avait convaincu Maman et Papa de se cacher dans sa penderie, et d'attendre l'intrusion de Diabolo pendant qu'elle ferait semblant de dormir. Mes parents, totalement dépassés par mon comporte-ment, avaient accepté.

De mon côté, j'avais déverrouillé mon placard pour faciliter la sortie du pantin.

J'étais certaine qu'il irait dans la chambre de ma sœur. Et que mes parents constateraient enfin que je n'étais pas folle.

John devait alors sortir comme un diable de sa boîte, déguisé en Totoche, avec la tête de mon vieux pantin coincée dans son sweat à col roulé. Diabolo recevrait un sacré choc. Et cela nous permettrait de lui sauter dessus pour le maîtriser.

Je n'imaginais pas que John s'acquitterait de son rôle avec tant de panache et qu'il détruirait à jamais le pantin démoniaque. J'ignorais que la tête de Diabolo éclaterait en morceaux. Tout cela, je le devais au hasard – à la chance.

– Où est passé John ? dis-je tout à coup en parcourant la pièce du regard.

– John ? John, où es-tu ? cria Maman. Tu as fait du très bon travail !

Pas de réponse. Aucun signe de mon frère.

– Bizarre, marmonna Sara, inquiète.

Tout le monde se dirigea vers la chambre de John. Nous le trouvâmes dans son lit, profondément endormi. Maman dut le réveiller. Il leva la tête et nous regarda en clignant des yeux.

– Quelle heure est-il ? demanda-t-il.

– Presque onze heures, répondit Papa.

– Oh, non ! s'exclama John. Je suis désolé ! Je ne me

125

suis pas réveillé. J'ai oublié qu'il fallait que je me déguise en Totoche !

Un frisson me parcourut. Je me tournai vers mes parents et balbutiai :

– Mais alors... qui a terrassé Diabolo ? QUI ?

FIN

Et pour avoir
encore la

Chair de poule ®

lis
ces quelques pages de
LE LOUP-GAROU DES MARÉCAGES

Nous nous sommes installés dans les marais de Floride pendant les vacances de Noël. Une semaine après notre arrivée, j'ai commencé à entendre de terrifiants hurlements nocturnes.

Nuit après nuit, ils me réveillaient en sursaut. Je me dressais dans mon lit et je retenais ma respiration, serrant mes bras contre ma poitrine pour m'empêcher de trembler. Par la fenêtre de ma chambre, je regardais la pleine lune couleur de craie. Et j'écoutais. Quelle créature pouvait pousser des cris pareils? Et où se trouvait-elle?

J'avais l'impression qu'elle se tenait juste derrière ma fenêtre.

Les hurlements montaient et descendaient comme la sirène d'une voiture de police. Ils n'exprimaient ni douleur, ni tristesse; ils étaient plutôt furieux, menaçants.

Ils semblaient donner un avertissement. *Ne vous approchez pas du marécage. Vous n'êtes pas d'ici.*

Quand nous avons emménagé en Floride, dans notre nouvelle maison, il me tardait d'explorer les environs. Derrière la maison s'étalait une vaste pelouse au-delà de laquelle on apercevait le marécage. Le premier jour, je m'étais planté au fond du jardin, armé des jumelles que Papa m'avait offertes pour mon douzième anniversaire, afin d'observer le paysage.

J'apercevais au loin des bosquets de palmiers, et des arbres aux minces troncs blancs gracieusement penchés les uns sur les autres. Leurs grandes branches feuillues formaient comme une toiture qui projetait de l'ombre sur le sol. Derrière moi, les cerfs allaient et venaient, mal à l'aise, dans leur enclos grillagé. Je les entendais piétiner le sol sablonneux, et frotter leurs andouillers contre le grillage.

Les cerfs étaient la raison de notre installation en Floride.

Je dois préciser que mon père, Michael Tucker, est un scientifique. Il fait de la recherche pour l'université du Vermont à Burlington.

Papa a fait venir les cerfs (six en tout) d'un vague pays d'Amérique du Sud. On les appelle des blastocères (*blastocerus dichotomus*, pour les savants). Ce ne sont pas des cerfs normaux. Je veux dire par là qu'ils ne ressemblent pas à Bambi. D'abord, leur pelage est très rouge, il ne vire au brun qu'en hiver.

Et leurs sabots sont vraiment énormes, comme palmés. Pour mieux marcher sur un sol détrempé et spongieux, je suppose.

Papa veut savoir si ces cerfs d'Amérique du Sud peuvent s'acclimater en Floride. Il a l'intention de fixer sur eux de petits émetteurs radio, et de les lâcher dans les marais. Les émetteurs permettront de suivre leur trace et de voir comment ils se débrouillent.

Quand il nous a dit à Burlington que nous allions habiter la Floride à cause des cerfs, nous étions tous complètement sidérés. Nous ne voulions pas partir. Ma sœur, Emily, a pleuré pendant des jours. Elle a seize ans, et elle ne voulait pas manquer sa dernière année de lycée. Je n'avais pas envie non plus de perdre mes amis.

Mais Maman s'est vite rangée du côté de Papa. Maman est une scientifique, elle aussi. Papa et elle travaillent souvent ensemble sur des tas de projets. Alors, bien sûr, elle était d'accord avec lui.

Et tous deux ont réussi à nous persuader, Emily et moi, que c'était la chance de notre vie, que ça allait être vraiment excitant. Une aventure que nous n'oublierions jamais.

Voilà pourquoi nous vivions à présent dans une petite maison blanche genre bungalow, entourée de cinq ou six autres maisons blanches identiques ; avec des cerfs d'allure bizarre enfermés dans un enclos, et un marécage sans fin qui s'étendait au-delà de notre «jardin», plat et verdoyant.

Ce matin-là, donc, j'étais en train d'examiner le paysage à la jumelle quand une exclamation m'échappa. Mon regard venait de rencontrer un œil noir et rond qui semblait me dévisager avec curiosité.

J'écartai mes jumelles et scrutai le marécage. À quelques mètres, il y avait un gros oiseau blanc posé sur deux longues pattes osseuses.

— C'est une grue, dit ma sœur juste derrière moi.

Je ne m'étais pas rendu compte de la présence d'Emily. Elle portait un T-shirt blanc et un short rouge. Ma sœur est grande, mince et très blonde. Elle a elle-même des allures d'échassier.

L'oiseau se détourna et s'éloigna d'un pas saccadé à travers les marais.

— Suivons-la, proposai-je.

Emily prit son air excédé, une expression que nous lui avions beaucoup vue depuis notre arrivée.

— Tu plaisantes ? Il fait trop chaud.

— Viens ! insistai-je en tirant sur son bras. On va se balader dans le voisinage.

— Emily, va donc te promener avec Gary, intervint Papa. Tu n'as rien d'autre à faire.

Je me retournai. Il était dans l'enclos aux cerfs, un carnet à la main, et il se déplaçait d'un animal à l'autre en prenant des notes.

— Mais, Papa… commença Emily.

— Je te dis d'y aller, ordonna-t-il. Ce sera toujours plus intéressant pour toi que de traîner dans le jardin, à te chamailler avec ton frère.

Emily capitula.

— Oh, d'accord, soupira-t-elle en remontant de nouveau les lunettes qui ne cessaient de lui retomber sur le nez. Seulement, Gary, je te préviens…

— Chouette !

Sans lui laisser le temps d'achever, je la pris par la main et l'entraînai. J'étais très excité à l'idée de m'aventurer pour la première fois dans un vrai marécage. Emily me suivit en faisant une moue contrariée.

— J'ai comme un mauvais pressentiment, marmonna-t-elle.

— Bof ! rétorquai-je avec un haussement d'épaules. Que pourrait-il nous arriver ?

À l'ombre des arbres, un air chaud et humide collait à la peau. Il suffisait de lever le bras pour atteindre les branches basses. La densité du feuillage au-dessus de nos têtes masquait presque le soleil, mais des rais de lumière filtrant çà et là projetaient des taches claires sur le sol.

Des herbes épineuses et des feuilles de fougère frôlaient mes jambes nues, me faisant regretter de ne pas porter un jean à la place de mon short.

– Quel boucan ! s'étonna Emily en enjambant une souche de bois pourrie.

Elle avait raison. Curieusement, le marécage était extrêmement bruyant.

Des oiseaux s'égosillaient au sommet des arbres, en un concert de sifflements aigus. Des insectes s'agitaient dans l'ombre. J'entendais résonner au loin un martèlement régulier, toc-toc-toc, comme si quelqu'un cognait sur du bois. Un pivert ? Les branches des palmiers craquaient. Nos sandales heurtaient le sol humide avec un bruit sourd.

– Regarde ! dit Emily en pointant le doigt en avant. Elle avait ôté ses lunettes de soleil pour mieux voir. Nous étions arrivés devant une mare ovale. Son eau verte, qui disparaissait à moitié dans l'ombre, s'étoilait de nénuphars délicatement inclinés sur leurs grandes feuilles plates.

– Comme c'est joli ! reprit Emily en chassant un insecte sur son épaule. Il faudra que je revienne avec mon appareil photo. Regarde-moi cette lumière !

Une bonne partie de la mare était noyée dans l'ombre : mais le soleil oblique qui perçait à travers le feuillage des arbres déversait une cascade lumineuse sur son eau immobile.

– Oui, c'est assez chouette, dis-je.

Les mares ne m'intéressaient pas plus que ça. Je préférais la faune sauvage.

J'accordai un moment à Emily pour contempler sa mare aux nénuphars, puis je l'entraînai un peu plus avant dans le marécage. Une nuée de minuscules moustiques dansait dans l'air tiède. Il devait y en avoir des milliers.

– Zut, marmonna Emily en se grattant l'épaule. Je déteste ces bestioles. Il me suffit de les regarder pour que ça me dérange.

En contournant les moustiques, je vis quelque chose

décamper derrière une souche couverte de mousse. Emily m'étreignit le bras.

– Qu'est-ce que c'est que ça ? cria-t-elle.

– Un alligator ! répondis-je. Un alligator affamé !

Son expression terrifiée me fit éclater de rire.

– Ce n'est qu'une espèce de gros lézard, froussarde. Elle poussa un soupir de soulagement, et me pinça aussi fort qu'elle put, essayant en vain de me faire grimacer de douleur.

– Tu es un crétin, Gary !

Elle recommença à se gratter l'épaule.

– J'en ai assez, se plaignit-elle. Ça me pique de partout. Rentrons, maintenant.

– Encore un petit moment ! implorai-je. Juste quelques pas.

– Non !

Elle tenta de me retenir, mais je me dégageai.

– Gary !

En m'éloignant, j'entendis à nouveau les coups de marteau, toc-toc-toc, plus proches cette fois. Une brise légère agitait les branches des palmiers. Le bruissement des insectes devenait assourdissant.

– Je vais rentrer à la maison et te laisser où tu es ! menaça Emily. Tant pis pour toi !

Je poursuivis mon chemin sans l'écouter. J'étais sûr qu'elle bluffait. En effet, quelques secondes plus tard, j'entendis ses pas derrière moi.

Un autre lézard, plus petit, se faufila en travers du chemin, frôlant mes sandales. On aurait dit une flèche noire projetée sous les fourrés.

Le sol montait soudain en pente douce, sous le soleil brûlant. J'escaladai cette colline et débouchai sur une espèce de clairière. La sueur perlait à mon front. Emily me rejoignit pendant que je reprenais mon souffle, tout en promenant mon regard autour de moi.

– Hé ! Une autre mare ! m'écriai-je.

Je dévalai à toute allure la pente herbeuse pour m'approcher de l'eau.

Mais cette mare avait quelque chose de différent.

Ce que je prenais de loin pour de l'eau vert sombre était en fait une boue épaisse qui faisait penser à de la purée de pois cassés. Des remous inquiétants, accompagnés de sinistres clapotis, parcouraient sa surface. Je me penchai, fasciné, pour mieux regarder.

– Des sables mouvants ! cria Emily, horrifiée.

C'est alors que deux mains me donnèrent une poussée brutale dans le dos.

Au moment où je basculais dans le ragoût verdâtre, les deux mains me rattrapèrent et me ramenèrent en arrière.

— Je t'ai eu ! gloussa Emily en m'étreignant pour m'empêcher de me retourner et de lui flanquer une claque.

— Lâche-moi ! criai-je, furieux. Tu as failli me faire tomber dans des sables mouvants, et tu trouves ça drôle ?

Elle cessa de rire et me relâcha.

— Ce ne sont pas des sables mouvants, banane. C'est une tourbière.

— Hein ?

J'observai une fois de plus la purée visqueuse.

— Une tourbière ! répéta-t-elle impatiemment. Tu ne sais donc rien ?

Emily, ou Mademoiselle Je-Sais-Tout, se vante de tout connaître, et aime bien me faire passer pour un pauvre idiot. Mais elle a des notes moyennes en classe, alors que j'ai de très bonnes notes. Alors, lequel de nous deux est le plus intelligent ?

— On a appris ça l'année dernière en étudiant les régions marécageuses et les forêts tropicales humides, continua-t-elle d'un air supérieur. La mare est épaisse parce qu'il y pousse des mousses qui absorbent l'eau comme des éponges. Elle contient aussi des tas de matières animales et végétales en décomposition.

— L'eau a l'air infecte, dis-je.

— Tu devrais la goûter, pour voir.

Elle fit mine de me pousser de nouveau dans la mare, mais je me baissai prestement et l'esquivai.

— Non merci, je n'ai pas soif !

Pas très malin, je sais, mais c'était la seule réplique qui me vint à l'esprit.

— Rentrons, maintenant, suggéra Emily en essuyant du revers de la main son front moite de transpiration. J'ai vraiment très chaud.

J'acceptai, un peu à contrecœur. Abandonnant la tourbière, on escalada de nouveau la colline pour redescendre de l'autre côté. Arrivé au sommet, je remarquai deux ombres noires planant très haut dans le ciel.

— Regarde ! criai-je à Emily.

— Des faucons, dit-elle, la main en visière pour mieux les observer. Du moins, je crois que ce sont des faucons. C'est difficile à voir. Ils sont drôlement gros.

Les faucons s'éloignèrent en fendant l'air de leur vol majestueux. Au bas de la colline, de retour sous l'ombre profonde des arbres, je m'arrêtai pour respirer un peu.

J'étais en nage, à présent. Ma nuque me brûlait. Je la massai un instant, mais cela ne changea pas grand-chose.

– Par ici, dit Emily.

Je lui emboîtai le pas. Des picotements désagréables me parcouraient de la tête aux pieds.

– Dommage qu'il n'y ait pas de piscine dans notre nouvelle maison, marmonnai-je. J'aurais plongé dedans tout habillé !

Après avoir marché plusieurs minutes, je m'aperçus que les arbres devenaient plus nombreux, plus touffus, et la lumière plus faible. Le sentier arrivait à sa fin, se noyant dans un déferlement de fougères.

– Je… je n'ai pas l'impression d'être déjà passé par ici, balbutiai-je. Je ne crois pas que ce soit le bon chemin.

Nous échangeâmes un regard effrayé. Nous venions de comprendre que nous étions perdus.

Complètement perdus.

Découvre vite la suite de cette histoire
dans
LE LOUP-GAROU DES MARÉCAGES
Nº 13 de la série
Chair de poule

Chair de poule

Impression réalisée sur CAMERON par

BRODARD & TAUPIN
GROUPE CPI

*La Flèche
en mars 2001*

Imprimé en France
N° d'Editeur : 6668 – N° d'impression : 6271